Magie
Sexuelle

pour Débutants

Exploration de l'Union Mystique entre
le Sexe et la Spiritualité

Anita Gonzalez

Table des matières

Introduction

Explication de ce qu'est la magie sexuelle et de ses origines

Une pratique spirituelle connue sous le nom de "magie sexuelle" consiste à utiliser l'énergie sexuelle et l'intention dans le but de se connecter au divin et de réaliser ses désirs. Il est possible de retracer ses origines dans des cultures anciennes telles que les Égyptiens, les Grecs et les Hindous, qui croyaient tous que l'activité sexuelle était une énergie puissante qui pouvait être utilisée pour favoriser l'avancement de l'éveil et du développement spirituel. Dans cette section, nous allons plonger profondément dans la définition de la magie sexuelle ainsi que dans son histoire. De plus, nous allons examiner ses applications modernes.

Un type de magie connu sous le nom de "magie sexuelle" utilise l'énergie sexuelle et l'intention afin de concrétiser ses désirs dans la réalité physique et d'établir une connexion avec le divin. Elle repose sur la croyance que l'énergie sexuelle est une force puissante qui peut être utilisée pour créer et transformer la réalité. La pratique consistant à utiliser l'énergie libérée lors de l'excitation sexuelle et/ou de l'orgasme comme moyen de concentrer l'esprit et de diriger l'intention vers la réalisation d'un objectif ou d'un résultat particulier est appelée "magie sexuelle". Elle implique de combiner les sensations physiques et les états émotionnels avec une intention consciente afin de créer un état de conscience accru et une connexion avec son moi spirituel.

Les Égyptiens, les Grecs et les Hindous ne sont que quelques-unes des anciennes civilisations considérées comme les origines de la magie sexuelle. Dans l'ancienne Égypte, l'activité sexuelle était considérée comme une force puissante ayant le potentiel de faciliter une connexion avec le divin et de conduire à l'atteinte d'un niveau plus élevé d'éveil spirituel. Les Égyptiens croyaient que les pharaons étaient capables de communiquer avec les dieux par le biais des relations sexuelles et que c'était le secret du pouvoir et de l'influence des pharaons.

L'art de pratiquer la magie liée au sexe était connu sous le nom de "théurgie" dans l'ancienne Grèce. La théurgie était une forme de magie qui consistait à invoquer les dieux par le biais de rituels et de prières, et à utiliser l'énergie sexuelle comme moyen de se connecter avec eux. Les anciens Grecs croyaient que l'énergie sexuelle était une manifestation du divin et que, en utilisant cette énergie de manière sacrée, ils pouvaient atteindre un état de conscience supérieur ainsi qu'un éveil spirituel.

Le terme "tantra" désigne la pratique de la magie sexuelle au sein de la religion hindoue. La pratique spirituelle connue sous le nom de Tantra trouve ses racines en Inde et remonte à plus de 1 500 ans. L'objectif de cette pratique est d'atteindre le développement spirituel et l'éveil par le biais de l'utilisation de l'énergie sexuelle et de l'intention. Le Tantra considère l'activité sexuelle comme un moyen d'établir une connexion avec le divin et d'atteindre un état dans lequel on se sent en harmonie avec l'univers.

De nos jours, de nombreuses personnes intéressées par la spiritualité et le développement personnel s'adonnent à la pratique de la magie sexuelle, qui est devenue de plus en plus courante à l'époque moderne. Elle est souvent utilisée comme moyen de concrétiser des désirs, d'améliorer les relations et d'atteindre des niveaux plus élevés d'intimité et de connexion avec les partenaires.

L'une des utilisations les plus courantes de la magie sexuelle consiste à matérialiser ses aspirations. Les praticiens de la magie sexuelle parviennent plus facilement et plus rapidement à concrétiser leurs désirs dans la réalité lorsqu'ils utilisent l'énergie sexuelle et l'intention pour concentrer leur esprit et canaliser l'énergie vers la réalisation d'un objectif ou d'un résultat particulier. Cela peut être réalisé par le biais d'affirmations, de visualisation ou de toute autre forme de pratique visant à amplifier l'énergie produite en raison de l'excitation sexuelle et de l'orgasme.

Une autre application de la magie sexuelle réside dans l'amélioration des relations. Les couples peuvent améliorer leur communication, leur intimité et leur satisfaction globale dans leur relation en utilisant le sexe comme moyen de renforcer leur connexion mutuelle à un niveau plus profond. La libération des sentiments négatifs, la surmonte des défis et le renforcement de la connexion entre les partenaires sont autant de résultats possibles de la pratique de la magie sexuelle.

Avantages de la pratique de la magie sexuelle

Une pratique spirituelle connue sous le nom de "magie sexuelle" consiste à diriger l'énergie sexuelle et l'intention dans le but de se connecter au divin et de réaliser ses désirs. Il est possible de retracer ses origines dans des cultures anciennes telles que les Égyptiens, les Grecs et les Hindous, qui croyaient tous que l'activité sexuelle était une énergie puissante qui pouvait être canalisée pour favoriser l'avancement de l'éveil et de la croissance spirituelle. La pratique de la magie sexuelle, bien qu'elle puisse sembler étrange pour certains, présente de nombreux avantages pour ceux qui s'y adonnent. Dans cette section, nous discuterons des avantages de la pratique de la magie sexuelle et de la manière dont elle peut avoir un impact positif sur votre vie.

L'amélioration de la manifestation est l'un des avantages les plus courants que l'on peut tirer de la pratique de la magie sexuelle. La pratique de la magie sexuelle implique d'utiliser l'énergie sexuelle et l'intention dans le but de concentrer l'esprit et de canaliser l'énergie vers un objectif ou un résultat spécifique. Cela peut être accompli grâce à l'utilisation d'affirmations, de visualisation ou de l'une des autres pratiques qui servent à amplifier l'énergie générée par l'excitation sexuelle et l'orgasme. Les praticiens de la magie sexuelle sont capables de puiser dans la puissante force créatrice de l'énergie sexuelle pour concrétiser leurs désirs plus rapidement et plus facilement s'ils utilisent la magie sexuelle pour manifester leurs désirs.

En plus d'améliorer la manifestation, la magie sexuelle peut également contribuer à améliorer l'intimité et la connexion avec les partenaires. Les couples peuvent améliorer leur communication, leur intimité et leur satisfaction globale dans leur relation en utilisant le sexe comme moyen d'approfondir leur connexion mutuelle à un niveau plus fondamental. La libération des sentiments négatifs, la surmonte des défis et le renforcement de la connexion entre les partenaires sont autant de résultats possibles de la pratique de la magie sexuelle. Cela peut conduire à une plus grande confiance, intimité et satisfaction au sein de la relation.

Lorsqu'elle est pratiquée correctement, la magie sexuelle peut également aider ses praticiens à atteindre un sentiment plus profond d'unité avec l'univers et à établir une connexion plus directe avec le divin. Les individus peuvent se connecter à une puissance supérieure à la fois en eux et autour d'eux en puisant dans leur propre sagesse intérieure et en établissant cette connexion par la pratique de la magie sexuelle. Cela peut contribuer à une prise de conscience plus profonde du but de sa vie, de sa signification et de son potentiel de réalisation.

La libération d'endorphines et d'autres neurotransmetteurs pendant l'activité sexuelle peut avoir un effet positif sur la santé mentale, réduisant le stress et favorisant les sentiments de bonheur et de bien-être. Les praticiens de la magie sexuelle peuvent bénéficier des avantages de cette pratique de manière plus constante et plus profonde s'ils l'intègrent dans leur vie quotidienne. Cela peut entraîner une amélioration du bien-être mental, une résilience émotionnelle accrue et un sentiment général de bien-être pour l'individu.

Il a été démontré que s'engager régulièrement dans une activité sexuelle a un impact bénéfique sur la santé physique, notamment en réduisant le risque de maladies cardiovasculaires, en améliorant la fonction immunitaire et en réduisant la douleur et l'inflammation. Les praticiens de la magie sexuelle peuvent obtenir les avantages mentionnés pour leur santé physique de manière plus constante et plus profonde s'ils intègrent la pratique dans leur vie quotidienne. En conséquence, leur santé physique peut s'améliorer, leur niveau d'énergie peut augmenter et un sentiment général de vitalité peut s'installer.

La pratique de la magie sexuelle peut également être un instrument puissant pour le cheminement vers la découverte de soi et le développement personnel. Les praticiens peuvent acquérir une comprehension plus profonde d'eux-mêmes et de leur place dans le monde en utilisant l'énergie sexuelle et l'intention pour explorer leurs propres désirs et croyances. Cela peut conduire à une plus grande conscience de soi, à une plus grande acceptation de soi et à une transformation personnelle.

Enfin, les praticiens de la magie sexuelle peuvent bénéficier du développement d'une relation plus profonde avec la nature et le monde naturel grâce à l'utilisation de la magie sexuelle. En se connectant aux cycles naturels de la vie et en puisant dans l'énergie créatrice de l'univers, les praticiens peuvent acquérir une plus grande appréciation de la beauté et de l'émerveillement du monde qui les entoure. Cela peut entraîner un sentiment accru d'émerveillement, de surprise et de gratitude envers le monde naturel.

En conclusion, les avantages de la pratique de la magie sexuelle sont nombreux et peuvent avoir une influence bénéfique sur tous les aspects de votre vie. Tout le monde peut bénéficier de la magie sexuelle, que son objectif soit une manifestation accrue, une intimité plus profonde, une connexion spirituelle plus profonde, une amélioration de la santé mentale et physique, la découverte de soi et le développement personnel, ou une connexion plus profonde avec le monde naturel. En incorporant la magie sexuelle dans votre pratique spirituelle, vous pouvez exploiter la puissante force créatrice de l'énergie sexuelle et transformer votre vie de manière profonde et significative.

Aperçu de ce que les lecteurs apprendront dans l'ebook

Introduction:

La pratique de la magie sexuelle est une forme d'art puissante qui a le potentiel d'améliorer la croissance spirituelle, l'autonomisation personnelle et l'intimité dans les relations amoureuses. Une tradition sacrée pratiquée depuis de nombreuses années connaît actuellement un regain de popularité. Cet ebook, intitulé "Magie Sexuelle pour Débutants : Exploration de l'Union Mystique entre le Sexe et la Spiritualité," offre une introduction à la magie sexuelle, à son contexte historique et aux façons dont elle peut être pratiquée aussi bien dans des rencontres sexuelles individuelles que partagées.

Chapitre 1: Les Bases de la Magie Sexuelle

Le lecteur acquerra une compréhension de base de la magie sexuelle après avoir lu le premier chapitre de l'ebook. L'idée de l'énergie sexuelle ainsi que son importance dans la pratique de la magie sexuelle sont des sujets abordés dans ce livre. Le contenu du livre comprend des informations sur le fonctionnement de la magie sexuelle, l'importance de l'intention en magie sexuelle, comment créer un environnement sacré pour la magie sexuelle et diverses méthodes pour pratiquer la magie sexuelle. Le chapitre inclut des conseils pratiques et des exercices pouvant être utilisés pour améliorer la pratique de la magie sexuelle.

Chapitre 2: L'Histoire de la Magie Sexuelle

Le deuxième chapitre de l'ebook explore la longue histoire de la magie sexuelle. Il donne un aperçu général des origines historiques de la magie sexuelle et des sociétés dans lesquelles elle était pratiquée. Les lecteurs en apprendront davantage sur les praticiens historiques bien connus de la magie sexuelle et sur la manière dont ils l'ont intégrée dans leurs pratiques spirituelles. Le chapitre aborde le développement historique de la magie sexuelle et les différences entre les méthodes traditionnelles et modernes.

Chapitre3 : La magie sexuelle et la spiritualité

La troisième partie de l'ebook explore la relation entre la magie sexuelle et la spiritualité. Elle examine les façons dont diverses traditions spirituelles intègrent la magie sexuelle dans leurs pratiques, ainsi que la manière dont la magie sexuelle peut améliorer la spiritualité. Les lecteurs en apprendront davantage sur le rôle du divin dans la magie sexuelle et sur la façon dont elle peut être utilisée pour approfondir leur connexion avec le divin. De plus, ce chapitre propose des activités utiles pour aider les lecteurs à incorporer la magie sexuelle dans leurs routines spirituelles.

Chapitre 4: La Science de la Magie Sexuelle

La quatrième partie de l'ebook aborde la magie sexuelle d'un point de vue scientifique. Elle explore la science entourant la magie sexuelle et son impact sur le corps et l'esprit. Les avantages de la magie sexuelle pour la santé mentale et physique, tels qu'une humeur améliorée, une réduction du stress et un plaisir accru, seront révélés aux lecteurs. Le chapitre offre également des conseils utiles sur la manière d'appliquer la magie sexuelle dans la vie quotidienne pour une meilleure santé et un bien-être optimal.

Chapitre 5: Magie Sexuelle en Solo

Le cinquième chapitre de l'ebook explique comment pratiquer la magie sexuelle en solo. Il offre des conseils pour utiliser le plaisir solitaire et la fixation d'intention lorsque l'on pratique la magie sexuelle seul(e). Les lecteurs apprendront les avantages de la magie sexuelle en solo et comment elle peut être utilisée pour renforcer l'autonomisation personnelle et la croissance spirituelle. Ce chapitre explore également les défis potentiels de la pratique de la magie sexuelle en solo et comment les surmonter.

Chapitre 6: Magie Sexuelle en Couple

Le sixième chapitre de l'ebook explore la pratique de la magie sexuelle en couple. Il aborde la communication et le consentement dans la magie sexuelle en couple et propose des techniques pour renforcer l'intimité et la connexion grâce à la pratique. Les lecteurs apprendront les avantages de la magie sexuelle en couple et comment elle peut approfondir leurs relations. Ce chapitre offre également des conseils pour surmonter les défis qui peuvent survenir pendant la magie sexuelle en couple.

Chapitre 7: Magie Sexuelle en Groupe

Le septième chapitre de l'ebook traite de la magie sexuelle en groupe. Il explore les avantages et les défis de la pratique de la magie sexuelle en groupe et propose des techniques pour le faire. Les lecteurs apprendront les avantages potentiels en termes d'énergie accrue et de croissance spirituelle lorsqu'ils pratiquent la magie sexuelle en groupe, ainsi que les défis potentiels qui peuvent survenir. Ce chapitre offre également des conseils pratiques pour rester en sécurité et en bonne santé lors de la magie sexuelle en groupe.

Chapitre 8: Erreurs et Défis Courants en Magie Sexuelle

Le huitième chapitre du livre offre aux lecteurs un aperçu des erreurs et des défis typiques que les nouveaux venus dans la magie sexuelle peuvent rencontrer. Il propose des suggestions pour rester en sécurité et en bonne santé pendant la pratique, ainsi que des conseils utiles pour éviter ces erreurs et surmonter les défis. L'importance de la conscience de soi et de l'autogestion lors de l'utilisation de la magie sexuelle est également abordée dans ce chapitre.

Conclusion:

"Magie Sexuelle pour Débutants : Exploration de l'Union Mystique entre le Sexe et la Spiritualité" est un guide complet pour la pratique de la magie sexuelle, en conclusion. Les lecteurs acquerront une compréhension approfondie de la magie sexuelle, de son contexte historique et de la manière de l'utiliser aussi bien en solo qu'en couple à travers l'ebook. L'ebook propose des exercices pratiques et des conseils pour intégrer la magie sexuelle dans la vie quotidienne et renforcer l'autonomisation personnelle, la croissance spirituelle et l'intimité dans les relations. Que les lecteurs soient novices dans la pratique de la magie sexuelle ou praticiens expérimentés, cet ebook offre des informations précieuses et des orientations pour une compréhension plus profonde et une exploration de cette pratique sacrée.

Chapitre 1

Les bases de la magie sexuelle

Explication du fonctionnement de la magie sexuelle

La magie sexuelle est une pratique puissante qui est utilisée depuis des siècles pour renforcer la croissance spirituelle, l'autonomisation personnelle et l'intimité dans les relations. Au cœur de la magie sexuelle se trouve l'utilisation de l'énergie sexuelle pour manifester ses désirs et intentions. La pratique de la magie sexuelle consiste à combiner l'excitation sexuelle et la fixation d'intentions afin de créer une charge énergétique puissante qui peut être dirigée vers un objectif spécifique.

L'énergie sexuelle est une force puissante qui peut être exploitée à des fins positives. C'est l'énergie vitale qui circule à travers tous les êtres vivants et qui est responsable de notre bien-être physique, émotionnel et spirituel. Lorsque cette énergie est dirigée vers une intention spécifique, elle devient encore plus puissante et peut manifester cette intention dans la réalité.

La pratique de la magie sexuelle implique plusieurs éléments clés qui travaillent ensemble pour créer une charge énergétique puissante. Ces éléments comprennent l'intention, l'excitation, la visualisation et la libération.

L'intention est le fondement de la magie sexuelle. C'est l'objectif ou le désir spécifique que le praticien souhaite manifester grâce à la pratique. Sans une intention claire, la pratique de la magie sexuelle devient sans direction et inefficace. Il est important pour les praticiens de passer du temps à réfléchir à leurs intentions avant de commencer la pratique de la magie sexuelle.

L'excitation sexuelle est le deuxième élément clé de la magie sexuelle. C'est l'état d'excitation sexuelle nécessaire pour créer la charge énergétique requise pour la pratique. L'excitation peut être obtenue par le toucher physique, la stimulation sexuelle ou l'imagerie érotique. Le niveau d'excitation nécessaire variera en fonction de l'individu et de la pratique spécifique utilisée.

La visualisation est le troisième élément clé de la magie sexuelle. C'est le processus de visualisation mentale du résultat souhaité, en l'imprégnant d'émotion et d'énergie. La visualisation est essentielle à la pratique de la magie sexuelle car elle aide à concentrer l'intention et à créer une image mentale claire du résultat souhaité.

La libération est le dernier élément clé de la magie sexuelle. C'est le moment de l'orgasme ou de la libération sexuelle qui envoie la charge énergétique dans l'univers pour manifester l'intention. La libération est importante car elle permet au praticien de lâcher prise de l'intention et de faire confiance à sa manifestation de la manière souhaitée.

La magie sexuelle fonctionne en combinant ces éléments clés pour créer une puissante charge énergétique qui peut être dirigée vers une intention spécifique. L'intention donne la direction à la pratique, tandis que l'excitation crée la charge énergétique nécessaire pour manifester cette intention. La visualisation aide à concentrer l'intention et à créer une image mentale claire du résultat souhaité, tandis que la libération envoie la charge énergétique dans l'univers pour manifester l'intention.

Il existe plusieurs techniques et pratiques différentes qui peuvent être utilisées pour pratiquer la magie sexuelle. Certaines de ces pratiques impliquent la masturbation en solo, tandis que d'autres impliquent des relations sexuelles en couple ou en groupe. La pratique spécifique utilisée dépendra de l'individu et de ses préférences, ainsi que du résultat souhaité de la pratique.

Une technique populaire pour pratiquer la magie sexuelle est l'utilisation de sigils. Un sigil est un symbole qui représente une intention ou un désir spécifique. Lors de la pratique de la magie sexuelle, le praticien crée d'abord le sigil, puis se concentre dessus. Le sigil sert de représentation symbolique de l'intention et aide à concentrer l'énergie de la pratique dans cette direction.

Une autre technique populaire pour pratiquer la magie sexuelle est l'utilisation de la visualisation. Pendant la pratique de la magie sexuelle, le praticien visualise en détail le résultat souhaité. Ils créent une image mentale d'eux-mêmes atteignant l'objectif ou le désir et l'imprègnent d'émotion et d'énergie. La visualisation aide à concentrer l'intention et à créer une image mentale claire du résultat souhaité.

La magie sexuelle en groupe est une autre technique qui peut être utilisée pour pratiquer la magie sexuelle. Dans cette pratique, un groupe d'individus se réunit pour pratiquer la magie sexuelle avec une intention commune. Le groupe crée un espace sacré et concentre leur énergie vers l'intention, créant ainsi une puissante charge énergétique qui peut manifester l'intention dans la réalité.

La pratique de la magie sexuelle ne concerne pas seulement l'atteinte d'objectifs ou de désirs spécifiques, mais aussi la connexion avec le divin et le approfondissement de sa pratique spirituelle. La magie sexuelle peut être utilisée pour renforcer la croissance spirituelle et se connecter à des états de conscience supérieurs. Elle peut également être utilisée pour approfondir l'intimité et la connexion dans les relations.

La pratique de la magie sexuelle est un art puissant qui a le potentiel d'apporter des changements significatifs et favorables dans la vie du praticien. Cependant, il est crucial de traiter la pratique avec respect et prudence. Il est important d'avoir une communication claire avec tous les partenaires potentiels et de pratiquer des rapports sexuels sécuritaires. De plus, il est essentiel de se donner suffisamment de temps pour réfléchir à ses objectifs et d'aborder la pratique avec révérence et respect pour la nature sacrée de l'énergie sexuelle.

En résumé, la magie sexuelle crée une puissante charge énergétique qui peut être dirigée vers un objectif ou un désir particulier en combinant intention, excitation, visualisation et libération. L'utilisation de la magie sexuelle peut entraîner divers changements bénéfiques dans la vie, tels que le développement spirituel amélioré, l'autonomisation personnelle et l'intimité relationnelle. Il est important d'aborder la pratique avec prudence et respect, et de prendre le temps de réfléchir à ses intentions et d'aborder la pratique avec un sentiment de révérence pour la nature sacrée de l'énergie sexuelle.

Le rôle de l'intention en magie sexuelle

L'intention est un élément crucial de la magie sexuelle. Elle est la force motrice derrière la pratique et donne la direction à la charge énergétique créée grâce à la combinaison de l'énergie sexuelle et de la fixation d'intentions. Dans la magie sexuelle, l'intention est l'objectif spécifique ou le désir que le praticien souhaite manifester grâce à la pratique. Elle est le fondement sur lequel repose la pratique et est la clé de son efficacité.

La fixation d'intentions est une partie essentielle de toute pratique spirituelle, et la magie sexuelle ne fait pas exception. L'intention apporte une focalisation et une clarté à la pratique, permettant au praticien de diriger son énergie vers un objectif ou un désir spécifique. Sans une intention claire, la pratique de la magie sexuelle devient sans direction et inefficace.

Le processus de fixation d'intentions en magie sexuelle commence par la réflexion. Le praticien doit prendre le temps de réfléchir à ses désirs et objectifs avant de commencer la pratique. Cette réflexion peut prendre de nombreuses formes, du journal intime à la méditation en passant simplement par le temps passé dans la nature. L'essentiel est de créer un espace pour la réflexion et de permettre aux intentions d'émerger naturellement.

Une fois les intentions identifiées, le praticien doit ensuite les clarifier et les affiner. Cela implique de diviser les intentions en étapes spécifiques et réalisables qui peuvent être entreprises pour les manifester. Par exemple, si l'intention est de manifester un nouvel emploi, le praticien peut diviser cela en étapes spécifiques telles que la mise à jour de leur CV, le réseautage et la participation à des entretiens d'embauche.

Une fois les intentions clarifiées et affinées, le praticien doit ensuite les imprégner d'émotion et d'énergie. Cela implique de visualiser le résultat souhaité et de l'imprégner d'émotions positives telles que la gratitude, la joie et l'excitation. La visualisation aide à créer une image mentale claire du résultat souhaité, et les émotions positives contribuent à créer une puissante charge énergétique qui peut être dirigée vers l'intention.

L'importance de l'intention en magie sexuelle va au-delà de la simple réalisation d'objectifs prédéterminés ou de désirs. Elle implique également le renforcement de la pratique spirituelle et l'établissement d'une connexion avec le divin. Le praticien de la magie sexuelle s'aligne avec le divin et invite sa puissance et sa direction dans sa vie en fixant des intentions.

En magie sexuelle, la fixation d'intentions peut également contribuer à favoriser le changement et le développement psychologiques. Fixer des intentions implique un processus de réflexion, de clarification et d'affinement qui peut aider le praticien à trouver de la clarté et de la direction dans sa vie. Cela peut également contribuer à un sentiment plus fort de sens et de but.

Il est possible de fixer des intentions pour une variété de désirs et d'objectifs grâce à la pratique de la magie sexuelle. Certains praticiens peuvent utiliser la magie sexuelle pour manifester des biens matériels tels qu'une nouvelle voiture ou une maison plus grande. D'autres pourraient l'utiliser pour réaliser des désirs plus intangibles comme une meilleure spiritualité ou une plus grande assurance en soi.

L'alignement de l'intention avec le plus haut niveau du praticien et le divin, quelle que soit l'intention spécifique, est le secret de l'efficacité de la magie sexuelle. Cela demande un niveau profond de conscience de soi et de compréhension de ses propres motivations et désirs. Cela demande également la capacité de renoncer au contrôle au profit du divin et d'avoir confiance que l'intention se manifestera de la manière qui sert au mieux les intérêts du praticien.

Aborder la pratique de la magie sexuelle avec révérence et respect pour la nature sacrée de l'énergie sexuelle est important. Cela implique de réserver du temps pour réfléchir à ses objectifs et d'aborder la pratique avec un cœur ouvert et un esprit clair. Cela implique également de communiquer clairement avec les partenaires impliqués et de pratiquer des rapports sexuels sécuritaires.

En conclusion, le rôle de l'intention en magie sexuelle est crucial. C'est le fondement sur lequel repose la pratique et qui donne la direction à la charge énergétique créée grâce à la combinaison de l'énergie sexuelle et de la fixation d'intentions. Fixer des intentions en magie sexuelle implique la réflexion, la clarification et l'affinement, ainsi que l'infusion d'émotions et d'énergie positives. La pratique de la magie sexuelle peut être utilisée pour fixer des intentions pour une large gamme de désirs et d'objectifs, et peut entraîner une transformation personnelle et une croissance. Cependant, il est important d'aborder la pratique avec révérence et respect pour la nature sacrée de l'énergie sexuelle, de communiquer clairement avec les partenaires impliqués et de pratiquer des rapports sexuels sécuritaires. En fixant des intentions en magie sexuelle, les praticiens peuvent s'aligner avec le divin, approfondir leur pratique spirituelle et apporter des changements positifs dans leur vie.

Comment créer un espace sacré pour la magie sexuelle

La pratique de la magie sexuelle inclut la création d'espaces sacrés. Un espace physique et énergétique désigné pour la pratique de la magie sexuelle, imprégné de bonnes vibrations et d'intentions, est appelé un espace sacré. C'est un espace où il n'y a pas de perturbations extérieures et où la magie sexuelle est pratiquée. Dans cette section, nous examinerons les étapes pour créer un espace sacré pour la magie sexuelle.

Étape 1: Choisissez un espace

La première étape pour créer un espace sacré pour la magie sexuelle est de choisir l'emplacement approprié. Un espace sacré devrait être un cadre sécurisé et accueillant où vous pouvez vous engager plus profondément avec votre partenaire ou avec vous-même. Voici quelques conseils pour choisir l'endroit idéal pour pratiquer la magie sexuelle :

La confidentialité est l'un des facteurs les plus importants à prendre en compte lors de la création d'un espace sacré pour la magie sexuelle. Votre espace sacré devrait vous permettre d'être totalement transparent et vulnérable avec votre partenaire ou avec vous-même. Sans craindre d'être interrompu ou observé, vous devriez vous sentir libre d'explorer vos désirs.

Pour éviter les regards indiscrets ou les passants curieux, cherchez un endroit privé et isolé. Il pourrait s'agir de votre chambre à coucher ou d'un endroit calme dans votre maison. Si vous n'avez pas d'espace privé chez vous, envisagez de réserver une chambre privée dans un hôtel ou un centre de retraite.

Un espace propre et dégagé est essentiel pour créer un environnement sacré. Un espace encombré ou sale peut être distrayant et entraver votre capacité à vous concentrer sur vos intentions et vos désirs.

Avant de commencer votre pratique de la magie sexuelle, assurez-vous de débarrasser tout encombrement ou objets inutiles. Cela peut inclure des choses comme du linge sale, des papiers ou des appareils électroniques. Pensez à utiliser des herbes de purification ou de l'encens pour purifier l'espace et créer une sensation de calme et de détente.

Votre espace sacré devrait être un environnement confortable et accueillant où vous vous sentez à l'aise. Cela peut inclure des éléments tels qu'une assise confortable, un éclairage doux et une musique apaisante.

Assurez-vous de choisir des meubles et une décoration qui résonnent avec vous, votre partenaire ou vous-même. Cela peut inclure des éléments tels que des bougies, des cristaux ou des symboles sacrés qui ont une signification personnelle.

Une autre considération importante lors de la création d'un espace sacré pour la magie sexuelle est la sécurité. Vous devriez vous sentir totalement en sécurité dans votre espace, à la fois physiquement et émotionnellement.

Envisagez d'installer des serrures sur les portes ou les fenêtres si nécessaire, et assurez-vous que l'espace est bien éclairé et dépourvu de tout danger potentiel. Si vous avez des préoccupations concernant la sécurité, il est préférable de les aborder avant de commencer votre pratique de la magie sexuelle.

Enfin, votre espace sacré devrait refléter vos croyances et intentions personnelles. Envisagez d'incorporer des objets personnels ou des symboles qui ont une signification pour vous, votre partenaire ou vous-même.

Cela peut inclure des autels personnels, des photos de proches ou des objets symboliques qui représentent vos désirs ou intentions. Plus l'espace est personnel et significatif pour vous, plus votre pratique de la magie sexuelle sera puissante et efficace.

Étape 2: Purifier l'espace

Lors de la création d'un espace sacré pour la magie sexuelle, l'une des étapes les plus importantes consiste à purifier l'espace. Cette étape aide à éliminer les énergies négatives ou les influences qui pourraient être présentes dans l'environnement, permettant ainsi de créer un espace sacré et sûr. Il existe plusieurs façons de purifier un espace, et la méthode choisie dépendra des préférences personnelles et des traditions.

L'une des méthodes les plus courantes pour purifier un espace est l'utilisation de la fumigation. La fumigation consiste à brûler de la sauge, du palo santo ou d'autres herbes pour créer de la fumée qui est ensuite utilisée pour purifier l'espace. Pour commencer, rassemblez les matériaux de fumigation et un récipient ignifuge tel qu'une coquille d'ormeau ou un plat en céramique. Allumez les herbes et laissez-les se consumer jusqu'à ce qu'elles produisent de la fumée. Ensuite, promenez-vous dans l'espace en agitant l'outil de fumigation pour permettre à la fumée d'atteindre toutes les zones de la pièce. Il est important de concentrer vos intentions sur le processus de purification, en visualisant la fumée emportant les énergies ou entités négatives.

Une autre façon de purifier un espace est l'utilisation du son. Les vibrations sonores sont utilisées depuis des siècles pour éliminer les énergies négatives et créer un sentiment d'équilibre et d'harmonie dans un espace. Une méthode populaire consiste à utiliser des bols chantants ou des cloches pour créer un son résonnant qui remplit l'espace. Vous pouvez également utiliser des carillons ou des applaudissements pour créer des vibrations sonores qui aideront à purifier l'espace. Il est important de concentrer votre intention sur le son et de le visualiser en train d'éliminer les énergies négatives.

Une troisième méthode pour purifier un espace consiste à utiliser de l'eau. L'eau est un agent purificateur puissant qui peut être utilisé pour éliminer les énergies négatives et rétablir un sentiment d'équilibre dans un espace. Il vous suffit de saupoudrer ou de vaporiser de l'eau dans la pièce tout en concentrant votre intention sur le processus de purification. Pour augmenter la capacité de l'eau à purifier, ajoutez des herbes ou des parfums essentiels.

Après avoir purifié la zone, il est essentiel d'établir une intention spécifique pour l'espace. Les affirmations, les visualisations et les rituels peuvent tous être utilisés à cette fin. L'objectif devrait être de créer un espace sacré exempt de distractions et de forces négatives pour la magie sexuelle. Créer un espace pour la guérison, la manifestation ou la connexion spirituelle sont quelques exemples d'intentions.

Il est important de créer un environnement physique qui soutient l'intention après qu'elle a été établie. Vous pouvez le faire en plaçant des bougies, des cristaux ou d'autres objets symboliques sur votre autel. Il est important que vous choisissiez ces objets en fonction de leur capacité à soutenir l'intention ainsi que de créer un sentiment de sacré dans la région.

Enfin, il est important de maintenir l'espace sacré en effectuant régulièrement des purifications et en fixant des intentions. Selon les préférences personnelles, cela peut être fait quotidiennement ou hebdomadairement. De plus, il est crucial de maintenir la zone dégagée de tout débris ou autres distractions qui pourraient entraver le résultat souhaité.

Étape 3: Définir l'intention

Créer un espace sacré pour la magie sexuelle nécessite de définir des intentions. L'essence même de la magie sexuelle réside dans l'intention, qui constitue le cadre de toute la pratique. C'est la concentration mentale, la source d'énergie et la force qui alimentent l'ensemble de la procédure, transformant les désirs en réalité. Nous aborderons dans cette section l'importance de définir des intentions en magie sexuelle, ainsi que quelques conseils pour le faire de manière efficace.

La capacité de l'intention en magie sexuelle à concentrer l'esprit sur un désir ou un objectif particulier est ce qui lui confère son pouvoir. Lorsque nous définissons une intention, nous créons essentiellement un plan mental de ce que nous voulons accomplir. Ce plan sert de carte qui guide nos pensées, nos émotions et nos actions vers la manifestation de notre désir.

En magie sexuelle, l'intention est la clé pour libérer l'énergie de l'univers et la canaliser vers nos désirs. En établissant une intention claire, nous créons une fréquence vibratoire en résonance avec l'univers, et cette résonance attire l'énergie qui nous aidera à manifester notre désir.

L'intention est également importante car elle nous aide à rester concentrés et motivés pendant la pratique de la magie sexuelle.

Lorsque nous avons une intention claire, nous sommes moins susceptibles d'être distraits ou découragés, et plus enclins à rester sur la bonne voie vers notre objectif.

Plus vous êtes spécifique et clair quant à votre intention, plus il sera facile pour l'univers de comprendre ce que vous souhaitez. Par exemple, au lieu de définir une intention pour "améliorer ma vie sexuelle", essayez de définir une intention pour "avoir des orgasmes époustouflants avec mon partenaire chaque fois que nous avons des rapports sexuels."

Il est important de formuler votre intention de manière positive. Évitez d'utiliser un langage négatif ou de vous concentrer sur ce que vous ne voulez pas. Au lieu de cela, concentrez-vous sur ce que vous voulez et formulez-le de manière positive. Par exemple, au lieu de définir une intention pour "arrêter de me sentir insécure au lit", essayez de définir une intention pour "me sentir confiant et séduisant pendant les rapports sexuels."

La visualisation est un outil puissant en magie sexuelle. Prenez quelques instants pour visualiser votre intention comme si elle s'était déjà réalisée. Imaginez-vous vivre le résultat souhaité en détail. Cela aide à créer une forte image mentale de votre intention, ce qui peut contribuer à sa manifestation dans la réalité.

Écrire votre intention peut être une façon utile de la solidifier dans votre esprit. Gardez un journal dédié à votre pratique de magie sexuelle et notez votre intention au début de chaque session. Cela peut vous aider à rester concentré et motivé tout au long de la pratique.

Les affirmations sont des déclarations positives qui aident à reprogrammer l'esprit subconscient. Utilisez des affirmations pour renforcer votre intention et la maintenir au premier plan de votre esprit. Par exemple, répétez des affirmations telles que "Je mérite des orgasmes incroyables" ou "Je suis confiant et séduisant au lit."

Étape 4: Décorez l'espace

Créer un espace sacré pour la magie sexuelle implique plusieurs étapes, dont l'une consiste à décorer l'espace. Cette étape est importante car elle crée une ambiance et un environnement propices à la pratique de la magie sexuelle.

Décorer l'espace pour la magie sexuelle implique de créer un autel, de choisir des couleurs et des parfums appropriés, ainsi que de sélectionner des objets ayant une signification symbolique. Voici quelques idées pour décorer la pièce pour la magie sexuelle :

Un autel est un endroit réservé à la réalisation de rituels et de pratiques spirituelles. Il représente physiquement votre intention et votre connexion avec le divin. Pour créer un autel de magie sexuelle, commencez par choisir une table ou une autre surface lisse dédiée à cet usage. Vous pouvez la recouvrir d'un tissu dans une couleur qui représente votre objectif, comme le rouge pour la passion ou le vert pour l'abondance. Placez des bougies, des cristaux et d'autres objets ayant une signification pour vous et représentant votre intention sur l'autel.

Les couleurs et les parfums ont un impact fort sur notre humeur et peuvent contribuer à créer l'environnement idéal pour la magie sexuelle. Choisissez des couleurs appropriées à votre objectif, par exemple le rouge pour la passion ou le vert pour l'abondance. Vous pouvez également choisir des parfums en lien avec le divin, comme la myrrhe ou l'encens.

Ajouter des objets symboliques à votre espace sacré peut aider à renforcer son énergie. Par exemple, vous pouvez choisir une statue d'une divinité en lien avec votre intention ou un symbole représentant votre connexion avec le divin. De plus, vous pourriez sélectionner des objets en lien avec votre intention, comme un cristal de quartz rose pour l'amour ou un pot de miel pour la douceur.

L'éclairage peut être utilisé pour créer une ambiance et un environnement intime et sensuel pour la magie sexuelle. Les bougies sont une option populaire car elles offrent une lumière douce et chaleureuse, et peuvent être parfumées avec des huiles essentielles. Pour créer une ambiance irréelle et féérique, vous pourriez également envisager d'utiliser un éclairage d'ambiance comme des guirlandes lumineuses.

La disposition des objets dans votre espace sacré doit être prise en compte car elle peut avoir un impact sur le flux énergétique. Par exemple, vous pouvez mettre l'accent sur votre intention en plaçant une statue d'une divinité au milieu de votre autel. Vous pouvez améliorer l'énergie de votre espace en disposant les bougies ou d'autres objets selon un schéma spécifique.

Étape 5: Créer un rituel

Une étape cruciale dans la préparation d'une expérience sexuelle spirituelle et transformative est de créer un espace sacré pour la magie sexuelle. Créer un rituel est une façon d'augmenter la sacralité de l'espace car cela peut aider à créer une ambiance intentionnelle et significative. Dans cette section, nous aborderons la cinquième étape du processus de création d'un espace sacré pour la magie sexuelle : la création d'un rituel.

Un rituel est une série d'activités entreprises avec un but et une intention. C'est un moyen de se connecter avec le divin ou l'univers et d'aligner ses intentions et ses souhaits. Un rituel peut servir de rappel de la sacralité du moment présent tout en créant un sentiment de connexion et de présence.

Il est crucial de prendre en compte le but du rituel, les éléments qu'il contiendra, ainsi que la symbolique et la signification de chaque élément pour créer un rituel de magie sexuelle. Voici quelques directives pour créer un rituel de magie sexuelle significatif et réussi :

Avant de créer un rituel, il est essentiel de clarifier vos intentions. Qu'aimeriez-vous accomplir grâce à la magie sexuelle ? Quels sont vos objectifs et vos buts ? Une fois que vous en avez une compréhension claire, vous pouvez commencer à choisir les éléments de votre rituel qui soutiendront et amplifieront votre intention.

Il existe de nombreux éléments qui peuvent être inclus dans un rituel de magie sexuelle, tels que des bougies, de l'encens, de la musique, des cristaux et des symboles. Il est important de choisir les éléments qui résonnent avec votre intention et vos préférences personnelles. Par exemple, si votre intention est de cultiver l'amour et l'intimité, vous pouvez choisir d'inclure des pétales de rose ou des cristaux de quartz rose dans votre rituel.

Avant de commencer le rituel, prenez un moment pour préparer l'espace. Cela peut impliquer d'allumer des bougies, de brûler de l'encens et d'arranger les éléments d'une manière qui soit esthétiquement plaisante et favorable à votre intention. Vous voudrez peut-être créer un cercle sacré ou une autre géométrie sacrée pour marquer l'espace et créer un sentiment d'enveloppement.

Une fois l'espace préparé, vous pouvez commencer à invoquer le divin ou l'univers. Cela peut impliquer d'appeler des divinités spécifiques ou des archétypes en résonance avec votre intention, ou simplement d'exprimer de la gratitude pour l'opportunité de participer à cette expérience transformative. Vous pouvez vouloir dire une prière ou réciter un mantra pour établir le ton du rituel.

Une fois l'espace préparé et le divin invoqué, vous pouvez commencer à vous engager dans une activité sexuelle. Cela peut impliquer de se procurer du plaisir seul ou de s'engager dans une activité sexuelle avec un partenaire. Il est important de maintenir un sentiment de présence et d'intention tout au long de l'expérience sexuelle et de rester attentif à l'énergie et aux sensations qui surgissent.

Une fois l'activité sexuelle terminée, il est important de conclure le rituel de manière significative et complète. Cela peut impliquer d'exprimer de la gratitude pour l'expérience, d'offrir une prière ou un mantra final, ou de s'engager dans une action symbolique finale, comme éteindre les bougies ou purifier l'espace avec du sauge ou du palo santo.

Étape 6: Utilisation des bougies et de l'encens

L'utilisation de bougies et d'encens est un moyen puissant d'améliorer l'atmosphère et l'énergie de votre espace sacré pour la magie sexuelle. L'utilisation du feu et de la fumée fait partie des pratiques spirituelles à travers les cultures et les traditions depuis des siècles, et peut ajouter une couche supplémentaire d'intention et d'énergie à votre pratique.

Les bougies sont un outil courant dans de nombreuses pratiques spirituelles et peuvent également être utilisées dans la magie sexuelle. Vous pouvez choisir des bougies en fonction de leur couleur et de leur énergie correspondante, comme le rouge pour la passion et le désir ou le vert pour l'abondance et la croissance. Vous voudrez peut-être aussi envisager d'utiliser des bougies parfumées pour ajouter un élément sensoriel supplémentaire à votre pratique.

Lorsque vous utilisez des bougies dans votre pratique de magie sexuelle, il est important de prendre des précautions de sécurité. Ne laissez jamais une bougie allumée sans surveillance et gardez-les loin de tout matériau inflammable. Vous voudrez peut-être aussi utiliser des porte-bougies pour éviter que la cire ne coule sur les surfaces.

L'encens est un autre outil qui peut être utilisé pour améliorer l'énergie de votre espace sacré. Brûler de l'encens peut aider à purifier l'air et à créer une atmosphère apaisante. Comme les bougies, vous pouvez choisir de l'encens en fonction de son énergie correspondante, comme la lavande pour la relaxation ou le bois de santal pour l'enracinement.

Lors de l'utilisation de l'encens, il est important de tenir compte de toute allergie ou sensibilité que vous ou votre partenaire pourriez avoir. Vous voudrez peut-être aussi utiliser des porte-encens pour éviter que les cendres ne tombent sur les surfaces.

Étape 7: Choisissez une musique appropriée

Créer un espace sacré pour la magie sexuelle peut être une expérience incroyablement puissante et transformative, et l'un des éléments clés pour y parvenir est de choisir une musique appropriée. La bonne musique peut aider à définir l'ambiance de l'espace, créant une atmosphère propice à l'exploration spirituelle et sexuelle.

Le choix de la musique pour un espace sacré implique plusieurs facteurs, dont le style et le genre de musique, l'énergie et l'intention derrière la musique, et les préférences des personnes impliquées. Certaines personnes préfèrent peut-être une musique spirituelle traditionnelle, tandis que d'autres préfèrent une musique contemporaine ou même des sons ambiants. En fin de compte, le but est de choisir une musique qui résonne avec l'énergie et l'intention de l'espace.

L'un des aspects les plus importants à considérer lors du choix de la musique pour un espace sacré est l'énergie et l'intention derrière la musique. La musique doit être choisie en fonction des intentions spécifiques du rituel de magie sexuelle. Par exemple, si l'intention est de se connecter avec le divin féminin, une musique douce, sensuelle et féminine peut être appropriée. En revanche, si l'intention est d'accéder et de canaliser une énergie brute et primitive, une musique plus intense et rythmée peut être plus appropriée.

Une autre considération importante est le style et le genre de la musique. Bien qu'il n'y ait pas de genre musical spécifique à utiliser dans un espace sacré, certains styles peuvent être plus efficaces pour certaines intentions. Par exemple, la musique classique peut être adaptée pour instaurer une ambiance calme et méditative, tandis que la musique électronique peut être plus appropriée pour créer un environnement plus énergisant et animé.

Les paroles des chansons sont également importantes à prendre en compte. Il convient de choisir des chansons dont les paroles résonnent avec les objectifs du rituel de magie sexuelle, car elles peuvent avoir une influence significative sur l'énergie de l'espace. Les éléments spirituels et transformateurs du rituel peuvent être compromis par des paroles trop distrayantes ou explicites.

Le volume et le timing de la musique sont également des éléments importants à prendre en compte, en plus de son style et de son énergie. La musique ne doit pas être trop forte ni distrayante pour l'espace, mais à un volume approprié. Le timing de la musique doit également être envisagé, et il peut être utile d'avoir des chansons ou des listes de lecture spécifiques pour différentes parties du rituel.

Créer une liste de lecture ou choisir des chansons particulières qui résonnent avec les intentions du rituel est l'une des façons les plus puissantes d'utiliser la musique dans un espace sacré. Cela peut être fait en apprenant sur différents genres et styles musicaux, en écoutant différentes pistes et en expérimentant avec différentes listes de lecture. Tous les participants devraient être inclus dans le processus de sélection afin que chacun puisse contribuer à ses propres préférences et objectifs.

Étape 8: Créer un environnement sûr et confortable

Une étape essentielle dans la pratique de la magie sexuelle est de créer un environnement sûr et confortable. Sans cela, il peut être difficile de se détendre complètement et de se consacrer à l'élément spirituel de la pratique. Cette section examinera différentes approches pour mettre en place un environnement sécurisé pour la magie sexuelle.

L'un des aspects les plus importants de la création d'un environnement sûr et confortable pour la magie sexuelle est de garantir la confidentialité. Il est nécessaire de choisir un endroit où vous ne serez pas interrompu physiquement ou électroniquement. Pour éviter les distractions, il est important d'éteindre ou de mettre en mode silencieux tous les appareils électroniques.

Pour créer un environnement confortable pour la magie sexuelle, l'éclairage de la pièce peut également être important. Un éclairage doux et tamisé peut être apaisant et intime. Une autre option pour instaurer une atmosphère relaxante est d'utiliser des bougies et des parfums.

Il est également important de penser à la température de la pièce. La pièce devrait avoir une température agréable, ni trop chaude ni trop froide. Si nécessaire, la température peut être modifiée en utilisant des couvertures ou des ventilateurs.

Un environnement sécurisé et agréable pour la magie sexuelle nécessite des sièges confortables. Choisissez des sièges confortables et soutenants, comme un fauteuil confortable ou un matelas moelleux. Pour plus de confort, ajoutez des coussins et des couvertures.

Il est essentiel de purifier la zone de toute mauvaise énergie avant de commencer la pratique de la magie sexuelle. Le smudging, la combustion d'encens ou l'utilisation de cristaux sont toutes des méthodes efficaces pour y parvenir. Définir une intention pour la purification est crucial, tout comme se concentrer sur l'énergie positive que vous souhaitez apporter dans l'espace.

Afin de créer une atmosphère sécurisée et confortable pour la magie sexuelle, la communication est essentielle. Assurez-vous que vous et votre partenaire êtes d'accord sur les objectifs de la pratique et sur les limites nécessaires. Pour éviter les malentendus ou l'inconfort, il est important que vous et votre partenaire soyez ouverts et honnêtes l'un envers l'autre.

Le consentement est crucial dans toute pratique sexuelle, y compris la magie sexuelle. Assurez-vous que la pratique a l'approbation enthousiaste de toutes les parties concernées. Il est important de vérifier régulièrement avec l'autre tout au long de la pratique pour s'assurer que tout le monde est à l'aise et que les limites sont respectées.

Un environnement sûr et relaxant pour la magie sexuelle nécessite également un excellent niveau d'hygiène. Avant de commencer la pratique, assurez-vous que vous et votre partenaire êtes propres et présentables. Cela peut impliquer de prendre une douche ou un bain, de vous brosser les dents et de vous habiller proprement.

Il est important de vous ancrer et de vous centrer avant de commencer un rituel de magie sexuelle. Vous pouvez y parvenir grâce à des techniques de respiration ou de méditation. Vous pourrez ainsi être plus présent dans le moment présent et avoir une connexion plus forte avec votre partenaire et le divin en vous ancrant et en vous centrant.

Après avoir pratiqué la magie sexuelle, il est essentiel de prendre soin à la fois de votre partenaire et de vous-même. Cela peut impliquer de boire un verre d'eau, de manger une collation légère et de vous détendre. Il est également important de vérifier avec l'autre pour s'assurer que tout le monde se sent en sécurité et à l'aise après la pratique.

En conclusion, la création d'un espace sacré est importante pour la pratique de la magie sexuelle. En suivant ces étapes, les praticiens peuvent créer un espace physique et énergétique dédié à la magie sexuelle et imprégné d'énergie et d'intention positives. Créer un espace sacré peut aider à approfondir la pratique de la magie sexuelle et créer un sentiment de sacré et de révérence pour la pratique. Il est important de choisir un endroit sans distractions, de purifier l'espace à la fois physiquement et énergétiquement, et de définir l'intention de la pratique. Décorer l'espace, créer un rituel, utiliser des bougies et de l'encens, choisir une musique appropriée et créer un environnement sûr et confortable sont autant d'étapes importantes pour créer un espace sacré pour la magie sexuelle. En suivant ces étapes, les praticiens peuvent améliorer leur pratique de la magie sexuelle et approfondir leur connexion au divin.

Différentes techniques pour pratiquer la magie sexuelle

La magie sexuelle est une pratique puissante qui consiste à combiner l'énergie sexuelle et la fixation d'intentions pour manifester ses désirs et intentions. La magie sexuelle peut être pratiquée en utilisant diverses méthodes et techniques, chacune ayant des avantages et des difficultés uniques. Dans cette section, nous examinerons quelques-unes des différentes méthodes pour pratiquer la magie sexuelle.

La masturbation en solo est l'une des méthodes les plus simples pour pratiquer la magie sexuelle. Pour générer une charge énergétique puissante qui peut être dirigée vers un objectif ou un désir particulier, cela implique d'utiliser l'excitation sexuelle et la fixation d'intentions. Le praticien devrait d'abord fixer son intention et diriger son énergie vers cette intention avant de commencer la masturbation en solo pour la magie sexuelle. Ils peuvent ensuite créer de l'excitation par le contact direct, des images érotiques ou d'autres stimulations sexuelles. À mesure qu'ils approchent de l'orgasme, ils devraient concentrer leur énergie sur leur intention et la visualiser se concrétisant. Une fois qu'ils atteignent l'orgasme, ils devraient libérer leur intention dans l'univers, en ayant confiance qu'elle se manifestera de la manière souhaitée.

Le sexe en couple peut également être utilisé pour pratiquer la magie sexuelle. Cela implique de combiner l'énergie sexuelle de deux partenaires ou plus pour créer une charge énergétique puissante qui peut être dirigée vers une intention spécifique. Pour pratiquer la magie sexuelle avec un partenaire, les praticiens devraient commencer par fixer leur intention et communiquer clairement entre eux sur leurs désirs et leurs objectifs. Ils peuvent ensuite utiliser le toucher physique, la stimulation sexuelle et des images érotiques pour créer un état d'excitation. À mesure qu'ils approchent de l'orgasme, ils devraient concentrer leur énergie sur leur intention et la visualiser se concrétisant. Une fois qu'ils atteignent l'orgasme, ils devraient libérer leur intention dans l'univers ensemble, en ayant confiance qu'elle se manifestera de la manière souhaitée.

Le tantra est une pratique spirituelle qui a vu le jour en Inde et qui est maintenant pratiquée à travers le monde. Pour développer une plus grande connexion spirituelle et un développement personnel, il inclut l'utilisation de l'énergie sexuelle et la fixation d'intentions. Le tantra comprend une variété de pratiques et de techniques, dont la respiration, la visualisation et le toucher physique, et peut être réalisé seul ou avec un partenaire. Le tantra nécessite un degré élevé de conscience de soi et une compréhension de ses propres désirs et motivations, ce qui en fait une manière puissante de pratiquer la magie sexuelle.

La magie des sigils est une forme de magie sexuelle dans laquelle un symbole visuel est créé pour représenter un objectif ou un désir particulier. Lors de la pratique de la magie sexuelle, le praticien crée d'abord le sigil, puis se concentre sur celui-ci. Le sigil sert de représentation symbolique de l'objectif et aide à diriger l'énergie de la pratique dans cette direction. La magie des sigils est une forme simple mais puissante de magie sexuelle qui peut être utilisée seule ou avec un compagnon.

La magie sexuelle en groupe implique qu'un groupe d'individus se réunisse pour pratiquer la magie sexuelle avec une intention partagée. Le groupe crée un espace sacré et concentre son énergie vers l'intention, créant ainsi une puissante charge énergétique qui peut manifester l'intention dans la réalité. La magie sexuelle en groupe peut être une manière puissante de pratiquer la magie sexuelle, car elle implique l'énergie combinée de plusieurs personnes travaillant vers un objectif ou un désir commun.

La danse extatique est une forme de méditation en mouvement qui utilise la danse et la musique pour entrer dans un état de transe et de connexion avec le divin. La danse extatique peut être une manière puissante de pratiquer la magie sexuelle, car elle implique une profonde connexion avec le corps et le divin. Pour pratiquer la magie sexuelle à travers la danse extatique, le praticien doit commencer par définir son intention et entrer dans un état de transe par la danse et la musique. Ils doivent concentrer leur énergie sur leur objectif et l'imaginer se réaliser à mesure qu'ils se rapprochent de l'extase. Une fois qu'ils ont atteint un état de conscience accrue, ils doivent libérer leur intention dans l'univers, en croyant qu'elle se manifestera de la manière souhaitée.

On croit que le kundalini est une puissante énergie spirituelle qui réside dormant à la base de la colonne vertébrale. Le yoga Kundalini est une pratique spirituelle qui utilise des postures physiques, la respiration et la méditation pour éveiller cette énergie. En raison de son accent sur l'établissement de liens étroits avec le corps physique et l'énergie spirituelle qu'il contient, le yoga Kundalini peut être une méthode puissante pour pratiquer la magie sexuelle. Définir un objectif et effectuer des postures de yoga Kundalini et des exercices de respiration pour éveiller l'énergie kundalini sont les premières étapes pour utiliser le yoga Kundalini pour la magie sexuelle. À mesure que l'énergie commence à circuler, ils doivent concentrer leur énergie sur leur intention et l'imaginer se réaliser. Une fois qu'ils ont atteint un état de conscience accrue, ils doivent libérer leur intention dans l'univers, en croyant qu'elle se manifestera comme ils le souhaitent.

Le rituel wiccan connu sous le nom de La Grande Rite utilise symboliquement les énergies masculines et féminines combinées, qui représentent le divin féminin et masculin. En raison de sa profonde connexion au divin et aux énergies spirituelles en nous, la Grande Rite peut être une méthode puissante pour pratiquer la magie sexuelle. Définir une intention et établir un espace sacré sont les premières étapes pour pratiquer la magie sexuelle grâce à la Grande Rite. Ensuite, ils doivent exécuter la Grande Rite, soit physiquement soit symboliquement, et concentrer toute leur énergie sur leur intention. Une fois le rituel terminé, ils doivent libérer leur intention dans l'univers, en ayant confiance qu'elle se manifestera de la manière souhaitée.

En conclusion, il existe de nombreuses méthodes pour pratiquer la magie sexuelle, chacune ayant des avantages et des défis uniques. Il existe de nombreuses méthodes puissantes pour pratiquer la magie sexuelle et établir une connexion avec le divin, notamment la masturbation en solo, le sexe en couple, le tantra, la magie des sigils, la magie sexuelle en groupe, la danse extatique, le yoga Kundalini et la Grande Rite. L'union de l'énergie sexuelle avec la définition d'intentions, ainsi qu'une connexion étroite avec l'énergie spirituelle en nous, est la clé de l'efficacité de la magie sexuelle. En pratiquant la magie sexuelle, les praticiens peuvent se connecter profondément avec leur moi spirituel, manifester leurs désirs et intentions, et créer de bons changements dans leur vie.

Chapitre 2

L'histoire de la magie sexuelle

Aperçu de l'histoire de la magie sexuelle

La magie sexuelle est une pratique qui est utilisée depuis des milliers d'années pour exploiter le pouvoir de l'énergie sexuelle et du réglage de l'intention afin d'apporter des changements positifs dans la vie. Bien que les origines exactes de la magie sexuelle soient inconnues, il existe de nombreuses références historiques à la pratique à travers différentes cultures et époques. Dans cette section, nous explorerons l'histoire de la magie sexuelle, de ses premières mentions enregistrées à sa pratique moderne.

L'une des premières références à la magie sexuelle se trouve dans l'Égypte ancienne, où le dieu Horus aurait été conçu grâce à l'union du dieu Osiris et de la déesse Isis. Les anciens Égyptiens croyaient que l'union sexuelle entre un homme et une femme pouvait être utilisée pour éveiller l'énergie spirituelle en eux, et que cette énergie pouvait être dirigée vers une intention ou un désir spécifique. Les Égyptiens croyaient également que l'énergie sexuelle était une force puissante qui pouvait être utilisée à des fins de guérison et de fertilité.

La magie sexuelle est également une partie importante de la tradition tantrique en Inde. Le tantra est une pratique spirituelle qui implique l'union des énergies divines masculine et féminine, représentées par le dieu Shiva et la déesse Shakti. Dans la pratique tantrique, l'énergie sexuelle est considérée comme une force puissante qui peut être exploitée et dirigée vers la croissance spirituelle et l'illumination. Les praticiens du tantra utilisent diverses techniques, notamment la respiration, la méditation et les postures physiques, pour éveiller et canaliser l'énergie sexuelle en eux.

En Chine, la magie sexuelle fait partie de la philosophie et de la pratique taoïstes. Le taoïsme est une tradition spirituelle qui met l'accent sur l'harmonie avec le monde naturel et la culture de l'énergie spirituelle, ou qi. Dans la magie sexuelle taoïste, l'énergie sexuelle est considérée comme une forme puissante de qi qui peut être exploitée et dirigée vers la croissance spirituelle et la guérison. La magie sexuelle taoïste implique diverses techniques, notamment des postures physiques, la respiration et la méditation, pour éveiller et canaliser l'énergie sexuelle dans le corps.

Dans l'ancienne Grèce et à Rome, la magie sexuelle était pratiquée par divers cultes mystérieux et sociétés secrètes. Ces groupes croyaient que l'union sexuelle entre un homme et une femme pouvait être utilisée pour éveiller l'énergie spirituelle en eux, et que cette énergie pouvait être dirigée vers une intention ou un désir spécifique. Les Romains et les Grecs croyaient tous deux que l'énergie sexuelle était une force puissante qui pouvait être utilisée à des fins de reproduction et de guérison.

La magie sexuelle était utilisée par diverses organisations ésotériques et sociétés secrètes au cours du Moyen Âge et de la Renaissance. Selon ces groupes, l'énergie sexuelle pouvait être exploitée et utilisée pour concrétiser des désirs et des plans. Paracelse, occultiste et alchimiste, était l'un des praticiens les plus connus de la magie sexuelle à cette époque. Selon Paracelse, l'énergie sexuelle était une force puissante qui pouvait être utilisée pour la guérison physique et spirituelle.

À l'époque moderne, la magie sexuelle a connu un regain de popularité, de nombreux individus et groupes pratiquant diverses formes de magie sexuelle. Aleister Crowley, auteur et praticien d'occultisme, est l'un des praticiens modernes les plus populaires de la magie sexuelle. Crowley a créé un système de magie sexuelle connu sous le nom de "Messe Gnostique" car il croyait que l'énergie sexuelle était une force puissante qui pouvait être utilisée à la fois pour la transformation physique et spirituelle.

La magie sexuelle est actuellement pratiquée par des individus et des groupes du monde entier en utilisant diverses méthodes et techniques. Il est difficile de déterminer les origines précises de la magie sexuelle, mais il est évident que la pratique existe dans la spiritualité et la culture humaine depuis très longtemps. Les praticiens de la magie sexuelle peuvent transformer leur vie pour le mieux et renforcer leur connexion spirituelle en exploitant l'énergie sexuelle et en fixant des intentions.

Malgré une longue histoire, la magie sexuelle a souvent suscité la controverse et le scepticisme. Certains critiques ont rejeté la magie sexuelle en tant que forme de superstition ou de pseudoscience, tandis que d'autres l'ont condamnée comme immorale ou dangereuse. Cependant, ceux qui soutiennent la magie sexuelle affirment qu'elle peut être un outil puissant de transformation et de développement personnel, ainsi qu'un moyen de communion avec le divin.

La relation entre l'énergie sexuelle et le réglage de l'intention est l'un des aspects clés de la magie sexuelle. On propose que l'énergie sexuelle soit une force puissante qui peut être concentrée sur une intention ou un désir spécifique. Les praticiens de la magie sexuelle peuvent améliorer leurs chances de réaliser un objectif dans le monde physique en dirigeant leur énergie sexuelle vers cet objectif. Cette procédure est souvent appelée "magie", c'est-à-dire l'utilisation du rituel et de l'intention pour provoquer le changement.

La création d'un lieu sacré est un autre aspect important de la magie sexuelle. Cela peut impliquer diverses techniques, telles que la fixation d'intentions, la construction d'autels, l'utilisation de bougies ou d'encens, la réalisation de cérémonies et la méditation. Les praticiens peuvent renforcer leurs connexions avec le divin et augmenter leurs chances de succès en créant un sentiment de sacré et de révérence pour la pratique.

Malgré les nombreux avantages de la magie sexuelle, il est nécessaire d'aborder la pratique avec respect et prudence. Il est important d'être ouvert et honnête au sujet des limites et des objectifs lors de l'utilisation de la magie sexuelle, et de ne l'utiliser qu'avec des partenaires consentants. De plus, il est crucial d'aborder la pratique avec un profond respect et un sentiment de révérence pour les énergies spirituelles impliquées.

En conclusion, la magie sexuelle est une technique puissante qui est utilisée depuis très longtemps pour exploiter le pouvoir de l'énergie sexuelle et fixer des intentions afin de provoquer des changements positifs dans sa vie. Bien que ses origines précises soient inconnues, la magie sexuelle a toujours fait partie de la spiritualité et de la culture humaine. En combinant l'énergie sexuelle avec le réglage de l'intention et en créant un sentiment de sacré et de révérence, les praticiens de la magie sexuelle peuvent approfondir leur connexion au divin et provoquer des changements positifs dans leur vie. Malgré la controverse et le scepticisme qui entourent la pratique, la magie sexuelle reste un instrument important pour le développement spirituel et personnel.

Praticiens célèbres de la magie sexuelle

Depuis des milliers d'années, les gens ont utilisé une technique puissante appelée "magie sexuelle" pour exploiter le pouvoir de l'énergie sexuelle et fixer des intentions afin de transformer leur vie pour le mieux. De nombreux sexologues bien connus ont existé tout au long de l'histoire, chacun ayant un style et une idéologie distincts. Les sexologues les plus connus, leurs contributions à la pratique et leur influence sur la société seront abordés dans cette section.

Le praticien de magie sexuelle le plus connu de l'ère moderne est probablement Aleister Crowley. Crowley était un occultiste anglais, écrivain et magicien cérémoniel actif au début du XXe siècle. Il est devenu célèbre pour avoir créé la philosophie "thélémique" et pour ses œuvres sur la magie et l'occultisme. Partisan de la magie sexuelle, Crowley pensait qu'elle pouvait être utilisée pour éveiller l'énergie spirituelle à l'intérieur du corps et créer un changement personnel. Il a créé la "Messe Gnostique", un système de magie sexuelle qui implique l'union rituelle et figurative des énergies masculines et féminines.

Pendant sa vie, les enseignements de Crowley sur la magie sexuelle ont suscité beaucoup de controverses et il a été fréquemment critiqué pour ses perspectives sur la sexualité et la moralité. Cependant, ses écrits sur le sujet continuent d'inspirer les personnes qui pratiquent la magie sexuelle même à l'époque moderne, et son influence sur la pratique de la magie sexuelle a été significative.

Maria de Naglowska était une écrivaine et occultiste française active au début du XXe siècle. Elle est célèbre pour ses écrits sur la magie sexuelle, qu'elle croyait pouvoir être utilisée pour provoquer des changements spirituels ainsi que politiques. Ses livres ont été traduits dans plusieurs langues. Naglowska était partisane d'une forme de magie sexuelle connue sous le nom de "sacerdotale", qui implique l'utilisation de l'énergie sexuelle et du rituel pour générer un sentiment de révérence et de sacré autour de la pratique.

La singularité des enseignements de Naglowska sur la magie sexuelle réside dans le fait qu'elle mettait fortement l'accent sur le rôle des femmes dans la pratique. Elle était d'avis que les femmes étaient nécessaires à la réalisation de la magie sexuelle et qu'elles devaient avoir un statut et un niveau d'autorité égaux en matière de spiritualité. Les concepts que Naglowska avait concernant la magie sexuelle étaient en avance sur leur temps, et ses écrits continuent d'inspirer les personnes qui pratiquent cet art encore aujourd'hui.

Paschal Beverly Randolph était un écrivain et occultiste américain actif au milieu du XIXe siècle. Il est célèbre pour ses œuvres sur la magie sexuelle et pour avoir soutenu la liberté sexuelle et l'égalité. Randolph croyait que l'énergie sexuelle était une force puissante qui pouvait être utilisée à la fois pour la guérison physique et spirituelle, et qu'elle était essentielle à la croissance personnelle et à la transformation.

Pendant sa vie, les enseignements de Randolph sur la magie sexuelle ont suscité la controverse, et il a été fréquemment critiqué pour ses points de vue moraux et sexuels. Cependant, il a eu un grand impact sur la magie sexuelle, et ses écrits sur le sujet continuent d'inspirer les praticiens aujourd'hui.

Ida Craddock était une figure importante du mouvement féministe américain et du monde littéraire à la fin du XIXe siècle et au début du XXe siècle. Ses écrits sur la magie sexuelle et son plaidoyer en faveur de la libération sexuelle et de l'égalité en ont fait une figure bien connue ces dernières années. Craddock croyait que l'énergie sexuelle était une force puissante qui pouvait être utilisée à la fois pour la guérison physique et spirituelle, et qu'elle était importante pour le développement personnel et la transformation.

Les enseignements de Craddock sur la magie sexuelle ont suscité la controverse de son vivant, et elle a souvent été persécutée pour ses opinions sur la sexualité et la moralité. En 1902, après avoir été accusée d'obscénité pour ses œuvres sur la magie sexuelle, elle a été arrêtée et s'est ensuite suicidée. Cependant, elle a eu une influence majeure sur la pratique de la magie sexuelle, et ses écrits sur le sujet continuent d'inspirer les praticiens aujourd'hui.

Margot Anand est une auteure et instructrice bien connue de France spécialisée dans le Tantra et la sexologie. L'Art de l'Extase Sexuelle et L'Art de la Magie Sexuelle sont deux des œuvres sur le Tantra et la magie sexuelle qu'Anand a rédigées. Elle a également fondé l'Institut SkyDancing Tantra, qui propose des séminaires et des formations en Tantra et en magie sexuelle.

Le Tantra, qui met l'accent sur la connexion entre la sexualité et la spiritualité, sert de base à l'approche d'Anand en matière de magie sexuelle. Elle croit que l'énergie sexuelle est une force puissante qui peut être utilisée pour favoriser la croissance personnelle et la transformation. Anand accorde une grande importance à la création d'un sentiment de sacré et de révérence pour la pratique, ainsi qu'à un lien solide avec son partenaire et le divin, dans ses enseignements sur la magie sexuelle.

Mantak Chia est un auteur et instructeur taoïste bien connu pour ses contributions dans les domaines du Qigong et de l'alchimie taoïste. Chia est le créateur du système Universal Healing Tao, qui met fortement l'accent sur le développement de l'énergie sexuelle pour la santé et le développement spirituel. Le fondement des leçons de magie sexuelle de Chia est le taoïsme, qui considère l'énergie sexuelle comme une forme puissante de Qi qui peut être exploitée et utilisée pour l'auto-transformation.

La méthode de magie sexuelle de Chia utilise diverses techniques telles que les postures physiques, la respiration et la méditation pour activer et canaliser l'énergie sexuelle du corps. Il met l'accent sur l'importance de créer un sentiment de sacré et de révérence pour la pratique, ainsi que sur le développement d'une profonde connexion avec son partenaire et avec le divin.

Au milieu du XXe siècle, William E. Gray, occultiste et écrivain britannique, était actif. Il est célèbre pour ses travaux sur la magie sexuelle ainsi que pour son travail dans le domaine de la magie cérémonielle. Selon Gray, l'énergie sexuelle est une force puissante qui peut être utilisée à la fois pour la transformation physique et spirituelle, et qui est nécessaire pour l'illumination et le développement personnel.

De son vivant, les enseignements de Gray sur la magie sexuelle ont suscité la controverse, et il était souvent critiqué pour ses points de vue moraux et sexuels. Son impact sur la pratique de la magie sexuelle, cependant, a été considérable, et ses écrits sur le sujet continuent de motiver les praticiens aujourd'hui.

L'auteur et guide spirituel indien Osho, également connu sous le nom de Bhagwan Shree Rajneesh, a vécu et travaillé à la fin du XXe siècle. Les enseignements d'Osho sur le sexe et la sexualité étaient novateurs pour leur époque, et il préconisait la liberté sexuelle et l'exploration comme moyen de croissance et de transformation personnelle.

L'approche d'Osho de la magie sexuelle implique diverses techniques, telles que la méditation, la visualisation et le travail énergétique, pour éveiller et canaliser l'énergie sexuelle à l'intérieur du corps. Il met l'accent sur l'importance de créer un sentiment de sacré et de révérence pour la pratique, ainsi que sur le développement d'une profonde connexion avec son partenaire et avec le divin.

En conclusion, de nombreux praticiens célèbres de la magie sexuelle ont marqué l'histoire, chacun avec sa propre approche et sa philosophie unique. Aleister Crowley, Maria de Naglowska, Paschal Beverly Randolph, Ida Craddock, Margot Anand, Mantak Chia, William E. Gray et Osho ne sont que quelques-unes des nombreuses personnes qui ont contribué à la pratique de la magie sexuelle au fil des ans. Bien que leurs enseignements puissent différer, ils partagent tous une croyance en la puissance de l'énergie sexuelle et de la fixation d'intentions pour apporter des changements positifs dans la vie. Leurs écrits et leurs enseignements continuent d'inspirer les praticiens de la magie sexuelle aujourd'hui, alors qu'ils cherchent à approfondir leur connexion spirituelle et à apporter une transformation personnelle.

Différences entre les approches anciennes et modernes de la magie sexuelle

La magie sexuelle est une pratique qui est utilisée depuis des milliers d'années pour exploiter le pouvoir de l'énergie sexuelle et de la fixation d'intentions afin d'apporter des changements positifs dans la vie. Bien que les origines exactes de la magie sexuelle soient inconnues, il existe de nombreuses références historiques à la pratique à travers différentes cultures et périodes. De nos jours, la magie sexuelle a connu un regain de popularité, de nombreuses personnes et groupes pratiquant diverses formes de magie sexuelle. Cependant, il existe des différences significatives entre les approches anciennes et modernes de la magie sexuelle, que nous explorerons dans cette section.

Dans l'Antiquité, la magie sexuelle était souvent pratiquée dans le cadre de traditions religieuses ou spirituelles. Par exemple, dans l'ancienne Égypte, l'union sexuelle entre un homme et une femme était considérée comme éveillant l'énergie spirituelle en eux, qui pouvait être dirigée vers une intention ou un désir spécifique. De manière similaire, l'énergie sexuelle était vue comme une force puissante dans la tradition tantrique de l'Inde, pouvant être exploitée pour atteindre l'illumination et le développement spirituel.

La focalisation sur les éléments spirituels ou religieux de la pratique est l'une des principales distinctions entre les approches traditionnelles et modernes de la magie sexuelle. Dans le passé, la magie sexuelle était fréquemment considérée comme une pratique sacrée ou mystique, et elle était étroitement liée aux croyances religieuses ou spirituelles. La magie sexuelle était une pratique souvent accompagnée de rituels et de cérémonies, et elle était considérée comme un moyen de communiquer avec le divin.

La participation des femmes dans le rituel est une autre distinction entre les méthodes modernes et traditionnelles de la magie sexuelle. Dans l'Antiquité, les femmes jouaient souvent un rôle central dans la pratique de la magie sexuelle, et leur énergie sexuelle était considérée comme une force puissante pour la guérison et la transformation. Dans la tradition tantrique, par exemple, les femmes étaient considérées comme des incarnations de l'énergie divine féminine, et leur énergie sexuelle était considérée comme un moyen par lequel les hommes pouvaient réveiller leur énergie divine masculine inactive en eux-mêmes.

Dans le monde actuel, la pratique de la magie sexuelle s'est largement éloignée de tout lien avec une religion ou une tradition spirituelle spécifique, évoluant plutôt vers une activité privée ou individuelle. Il existe toujours des praticiens modernes de la magie sexuelle qui intègrent des éléments spirituels ou mystiques dans leur pratique, mais la majorité des praticiens modernes ne le font plus.

L'accent mis sur l'individualisme est l'une des principales différences entre les approches traditionnelles et modernes de la magie sexuelle. De nos jours, la magie sexuelle est souvent perçue comme un moyen d'autonomisation personnelle et de changement. L'accent est mis sur les désirs et les intentions de l'individu, plutôt que sur la connexion avec le divin ou sur le service d'un objectif spirituel plus vaste.

L'utilisation de la technologie est un autre aspect qui distingue les pratiques historiques de la magie sexuelle de celles pratiquées aujourd'hui. Les personnes intéressées par la magie sexuelle peuvent désormais interagir plus facilement avec d'autres passionnés grâce à l'avènement d'Internet et des médias sociaux. Les praticiens modernes de la magie sexuelle ont constaté que les communautés en ligne sous forme de forums, de blogs et de groupes de médias sociaux sont devenues des ressources importantes car elles offrent une plateforme de discussion, d'éducation et de soutien.

En conclusion, il existe des distinctions importantes entre les méthodes anciennes et modernes de la magie sexuelle. Les praticiens modernes de la magie sexuelle ont tendance à accorder une plus grande importance au développement personnel et à l'autonomisation, contrairement aux anciens praticiens, qui considéraient souvent la magie sexuelle comme une pratique sacrée ou mystique étroitement liée aux croyances religieuses ou spirituelles. De plus, les praticiens modernes ont accès à des technologies qui leur permettent de se connecter avec d'autres personnes partageant leur intérêt pour la magie sexuelle et d'accéder plus facilement à des informations et des ressources. Cependant, malgré ces différences, les principes fondamentaux de la magie sexuelle restent les mêmes : ils consistent à canaliser son énergie sexuelle et à fixer des intentions positives afin d'apporter des changements favorables dans sa vie.

Chapitre 3

La magie sexuelle
et la spiritualité

Explication de la manière dont la magie sexuelle peut enrichir la spiritualité

La magie sexuelle est une technique qui associe la fixation d'intentions à l'utilisation de l'énergie sexuelle pour améliorer sa vie. Bien que la magie sexuelle soit souvent associée au plaisir sensuel et au changement psychologique, elle peut également être un puissant moyen de favoriser la croissance spirituelle. Dans cette section, nous examinerons comment la magie sexuelle peut améliorer la spiritualité et renforcer la connexion avec le divin.

Il est possible de canaliser et de diriger l'énergie sexuelle, qui est une force puissante, pour le développement spirituel et la transformation. Dans de nombreuses traditions spirituelles, l'énergie sexuelle est considérée comme une manifestation du divin, et l'on croit qu'en utilisant cette énergie, on peut se connecter plus profondément au divin.

La capacité de la magie sexuelle à éveiller et à diriger l'énergie sexuelle vers un objectif ou un désir particulier est l'une des principales façons dont elle peut améliorer la spiritualité. Les praticiens de la magie sexuelle peuvent augmenter leurs chances de manifester un objectif dans le monde physique en concentrant leur énergie sexuelle sur cet objectif. Ce processus est souvent appelé "magie", qui consiste à utiliser le rituel et l'intention pour provoquer un changement.

La création d'un espace sacré est un autre élément crucial de la magie sexuelle. Cela peut impliquer diverses activités, telles que la fixation d'intentions, la création d'autels, l'établissement de rituels, l'utilisation de bougies ou d'encens, et la réalisation de rituels ou de méditations. Les praticiens peuvent renforcer leurs liens avec le divin et augmenter leurs chances de succès en instaurant un sentiment de sacralité et de révérence pour la pratique.

La création d'un espace sacré implique également la définition de limites et la communication claire avec son ou ses partenaires. Les praticiens de la magie sexuelle peuvent ainsi construire un sentiment d'intimité et de confiance plus fort en créant un environnement sûr et respectueux pour leur pratique, ce qui peut améliorer leur connexion spirituelle.

La magie sexuelle peut également améliorer la spiritualité en renforçant la relation avec le divin. Les praticiens de la magie sexuelle peuvent accéder à une puissance spirituelle supérieure et s'aligner avec la volonté divine en dirigeant l'énergie sexuelle vers un objectif ou un désir particulier. L'objectif de ce processus, qui peut être considéré comme une forme de prière ou de méditation, est d'harmoniser la volonté du praticien avec la volonté divine.

De nombreuses traditions spirituelles considèrent l'énergie sexuelle comme une forme du divin, et la pratique de la magie sexuelle est perçue comme un moyen de communiquer avec cette énergie divine. En puisant dans cette énergie et en la dirigeant vers une intention ou un désir spécifique, les praticiens de la magie sexuelle peuvent approfondir leur connexion spirituelle et renforcer leur sentiment d'unité avec l'univers.

Enfin, la magie sexuelle peut améliorer la spiritualité en favorisant la croissance personnelle et la transformation. En utilisant l'énergie sexuelle pour manifester des changements positifs dans leur vie, les praticiens de la magie sexuelle peuvent approfondir leur compréhension d'eux-mêmes et de leur place dans le monde. Ce processus peut être considéré comme une forme d'éveil spirituel, où le praticien devient plus conscient de ses propres désirs, motivations et valeurs.

La magie sexuelle peut également aider les praticiens à surmonter les blocages personnels ou les limitations qui pourraient les empêcher d'atteindre leur plein potentiel spirituel. En canalisant l'énergie sexuelle et en la concentrant vers un objectif spécifique, les praticiens peuvent se libérer des schémas de pensée négatifs et des croyances limitantes, et s'ouvrir à de nouvelles possibilités et expériences.

En conclusion, la magie sexuelle peut être un outil puissant pour améliorer la spiritualité et approfondir la connexion avec le divin. En canalisant l'énergie sexuelle et en la dirigeant vers une intention ou un désir spécifique, les praticiens de la magie sexuelle peuvent accéder à une puissance spirituelle supérieure et s'aligner avec la volonté divine. En créant un espace sacré et en établissant des limites avec son ou ses partenaires, les praticiens peuvent approfondir leur sentiment de confiance et d'intimité, ce qui peut renforcer leur connexion spirituelle. Enfin, la magie sexuelle peut faciliter la croissance personnelle et la transformation, aidant les praticiens à surmonter les blocages personnels et les limitations pour atteindre leur plein potentiel spirituel.

Exploration de différentes traditions spirituelles qui intègrent la magie sexuelle

La magie sexuelle est une pratique utilisée depuis des siècles pour exploiter le pouvoir de l'énergie sexuelle et de la mise en intention afin d'apporter des changements positifs dans sa vie. Cette pratique est étroitement liée à de nombreuses traditions spirituelles qui reconnaissent la puissance de la sexualité et son rôle dans la croissance et la transformation spirituelles. Dans cette section, nous explorerons plusieurs traditions spirituelles différentes qui intègrent la magie sexuelle dans leurs pratiques, et comment elles utilisent cette pratique pour améliorer la croissance et la transformation spirituelles.

L'un des groupes spirituels les plus populaires qui utilise la magie sexuelle dans ses rituels est le tantra. Le tantra est une forme de spiritualité qui trouve ses racines dans l'ancienne Inde et met fortement l'accent sur la relation entre la sexualité et la spiritualité. Les traditions tantriques considèrent l'énergie sexuelle comme une force puissante qui peut être canalisée et dirigée vers l'illumination et le développement spirituel.

La magie sexuelle tantrique se concentre sur l'éveil et la direction de l'énergie sexuelle du corps. Les praticiens tantriques exploitent cette énergie et la canalisent vers un objectif ou un désir particulier en utilisant diverses méthodes, notamment des postures physiques, des exercices de respiration et la méditation. L'objectif peut être personnel ou spirituel, tel que stimuler son énergie, guérir son corps ou renforcer ses liens spirituels.

La magie sexuelle tantrique est souvent pratiquée avec un partenaire et implique divers rituels et pratiques conçus pour créer un espace sacré et approfondir la connexion entre les partenaires. Dans les traditions tantriques, l'union sexuelle est considérée comme un moyen de se connecter au divin et d'atteindre un niveau de conscience supérieur. En exploitant l'énergie sexuelle et en la dirigeant vers une intention ou un désir spécifique, les praticiens tantriques peuvent approfondir leur connexion spirituelle et atteindre un niveau de conscience supérieur.

La Kabbale est une tradition mystique du judaïsme qui intègre également la magie sexuelle dans ses pratiques. Selon les enseignements kabbalistiques, l'énergie sexuelle est perçue comme une manifestation du divin, et il est estimé qu'en canalisant cette énergie, les praticiens peuvent se connecter plus profondément à Dieu et atteindre un niveau supérieur de conscience spirituelle.

La magie sexuelle kabbalistique implique divers rituels et méditations, conçus pour éveiller et canaliser l'énergie sexuelle vers une intention ou un désir spécifique. L'intention peut être personnelle ou spirituelle, comme augmenter l'abondance, guérir les relations ou se connecter au divin. Les praticiens kabbalistiques croient qu'ils sont capables de changer leur vie et le monde qui les entoure en alignant leur énergie sexuelle avec la volonté divine.

La magie sexuelle est un élément commun des pratiques spirituelles dans de nombreuses traditions wiccanes et païennes. Ces cultures considèrent l'énergie sexuelle comme une force puissante qui peut être canalisée pour l'auto-transformation et la réalisation de souhaits.

Les rituels et les sorts conçus pour canaliser l'énergie sexuelle vers un but ou un désir particulier sont fréquemment utilisés dans la magie sexuelle wiccane et païenne. Ces pratiques intègrent souvent des éléments de méditation, de visualisation et de fixation d'intentions, ainsi que l'utilisation de bougies, de cristaux et d'autres outils. L'objectif peut être personnel ou spirituel, comme augmenter la richesse, favoriser la créativité ou établir une connexion avec le divin.

Le Thélémisme est une tradition spirituelle fondée par l'occultiste britannique Aleister Crowley. Selon les enseignements du Thélémisme, l'énergie sexuelle est une force puissante qui peut être canalisée dans le but d'apporter une transformation psychologique et la manifestation de ses désirs.

Il existe de nombreux rituels et pratiques différents dans la magie sexuelle thélémique. Ces rituels et pratiques visent à éveiller et à canaliser l'énergie sexuelle vers un objectif ou un désir particulier. L'intention peut être d'ordre personnel ou spirituel, comme augmenter son pouvoir, guérir des maux physiques ou atteindre un niveau supérieur de conscience.

Les praticiens du Thélémisme sont d'avis que s'ils sont capables de maîtriser leur énergie sexuelle et de la diriger dans le sens de leur volonté, ils pourront atteindre un niveau plus élevé de conscience spirituelle et de satisfaction dans leur vie.

Les régions du Moyen-Orient et de la Méditerranée ont été le lieu d'origine du gnosticisme, qui est un ensemble de concepts et de systèmes religieux anciens. Dans les traditions gnostiques, l'énergie sexuelle est considérée comme un moyen d'accéder à des niveaux supérieurs de conscience et de connaissance divine. Par conséquent, ces traditions intègrent également la magie sexuelle dans leurs pratiques.

Dans la magie sexuelle gnostique, l'accent est mis sur la maîtrise et la direction de l'énergie sexuelle à travers diverses pratiques, telles que la méditation et la visualisation. L'intention peut être personnelle ou spirituelle, comme augmenter son énergie, guérir le corps ou se connecter au divin. Les praticiens gnostiques croient que en dirigeant leur énergie sexuelle vers une intention spécifique, ils peuvent atteindre un niveau supérieur de conscience spirituelle et de compréhension.

L'hindouisme est un ensemble diversifié de traditions religieuses et philosophiques qui ont vu le jour en Inde. De nombreuses traditions hindoues intègrent la magie sexuelle dans leurs pratiques, considérant l'énergie sexuelle comme une manifestation du divin et un moyen d'atteindre la croissance spirituelle et la transformation.

Dans la magie sexuelle hindoue, l'accent est mis sur l'éveil et la canalisation de l'énergie sexuelle à l'intérieur du corps par le biais de diverses pratiques, telles que le yoga, la méditation et la visualisation. L'intention peut être personnelle ou spirituelle, comme augmenter l'abondance, guérir le corps ou se connecter au divin. Les praticiens hindous croient que en maîtrisant l'énergie sexuelle et en la dirigeant vers une intention spécifique, ils peuvent atteindre un niveau supérieur de conscience spirituelle et d'épanouissement.

En conclusion, de nombreuses traditions spirituelles intègrent la magie sexuelle dans leurs pratiques, considérant l'énergie sexuelle comme une force puissante qui peut être maîtrisée et dirigée vers la transformation personnelle et la manifestation des désirs. Les traditions tantriques mettent l'accent sur la relation entre sexualité et spiritualité, tandis que les traditions kabbalistiques voient l'énergie sexuelle comme une manifestation du divin. Les traditions wiccanes et païennes utilisent des rituels et des sorts pour maîtriser l'énergie sexuelle, et les praticiens du Thélémisme utilisent la magie sexuelle pour atteindre un niveau supérieur de conscience spirituelle et d'épanouissement. Les traditions gnostiques et hindoues intègrent également la magie sexuelle dans leurs pratiques, considérant l'énergie sexuelle comme un moyen d'accéder à des niveaux supérieurs de conscience et de connaissance divine.

Bien que ces traditions puissent différer dans leurs pratiques et leurs croyances spécifiques, elles reconnaissent toutes le pouvoir de l'énergie sexuelle et de la fixation d'intentions dans l'amélioration de la croissance spirituelle et de la transformation. En explorant ces différentes traditions et leurs approches de la magie sexuelle, les praticiens peuvent approfondir leur compréhension de cette pratique puissante et renforcer leur propre croissance spirituelle et transformation.

Le rôle du divin dans la magie sexuelle

La magie sexuelle est une pratique spirituelle qui consiste à exploiter le pouvoir de l'énergie sexuelle pour manifester ses désirs et se connecter au divin. Le rôle du divin est un élément essentiel de la pratique de la magie sexuelle, qui peut être réalisée de manière indépendante ou en collaboration avec un partenaire. Dans cette section, nous aborderons le rôle que joue le divin dans la pratique de la magie sexuelle, comment il contribue à l'amélioration du rituel, ainsi que les différentes traditions spirituelles qui l'incorporent.

Dans la pratique de la magie sexuelle, le divin est considéré comme un élément important qui contribue à la puissance globale de la pratique. Selon la tradition religieuse ou spirituelle que l'on suit, on peut souvent attribuer au divin différentes appellations et descriptions. Par exemple, dans certaines traditions, le divin est appelé Dieu ou Déesse, tandis que dans d'autres, il est désigné comme l'Univers ou la Source.

Il est souvent cru dans le contexte de la magie sexuelle que le divin est responsable de fournir au praticien la vitalité et la direction nécessaires pour la réussite de la pratique. Il est considéré comme la source de toute énergie créatrice et la force qui régit l'univers. Par conséquent, se connecter au divin pendant la magie sexuelle peut aider les praticiens à accéder à cette énergie et à l'utiliser pour manifester leurs désirs.

De plus, le divin est perçu comme une force aimante et compatissante qui souhaite le meilleur pour tous les êtres. On croit que lorsque les praticiens se connectent au divin pendant la magie sexuelle, ils puisent dans cette énergie aimante et compatissante, ce qui peut les aider à manifester leurs désirs avec aisance et grâce.

Le rôle du divin dans la magie sexuelle peut être perçu de plusieurs manières. Premièrement, le divin fournit l'énergie et l'orientation nécessaires pour rendre la pratique efficace. En se connectant au divin, les praticiens peuvent accéder à l'énergie nécessaire pour manifester leurs désirs. On croit que cette énergie est une forme supérieure d'énergie créatrice qui n'est pas facilement accessible dans la vie quotidienne. Par conséquent, les praticiens peuvent puiser dans cette énergie supérieure et l'utiliser pour améliorer leur pratique s'ils établissent une connexion avec le divin.

Deuxièmement, beaucoup de gens croient que le divin est une source d'amour et de compassion inconditionnels. Les praticiens de la magie sexuelle peuvent accéder à cette énergie et imprégner leur pratique d'amour et de compassion s'ils établissent une connexion avec le divin pendant la pratique. Cette énergie peut contribuer à créer une relation entre les partenaires qui est plus profonde et plus intime, ce qui peut à son tour élever la qualité de l'expérience dans son ensemble.

Troisièmement, en ce qui concerne la magie sexuelle, le divin peut être une source de guidance et de sagesse. Il est couramment admis parmi les praticiens que le divin peut communiquer avec eux par le biais de leur intuition afin de les guider dans la direction de la réalisation de leurs objectifs. Les praticiens de la magie sexuelle peuvent recevoir cette guidance et l'utiliser pour améliorer leur pratique s'ils établissent une connexion avec le divin pendant la pratique de la magie sexuelle.

Le rôle du divin dans la magie sexuelle est un concept profondément ancré dans de nombreuses traditions spirituelles. Le concept de sexualité sacrée ou d'union divine est souvent associé à cette connexion entre sexualité et spiritualité, que l'on peut observer dans de nombreuses cultures et religions. Dans cette section, nous examinerons quelques exemples où le divin a été utilisé dans la magie sexuelle au sein de diverses traditions spirituelles.

Dans l'hindouisme, Shakti, le principe féminin de l'énergie et de la créativité, est fréquemment considéré comme une manifestation du divin. Cela est souvent illustré par le culte de déesses comme Kali, Durga et Lakshmi. Le résultat ultime de la pratique spirituelle est censé être l'union de Shakti et Shiva, le principe masculin de la conscience. Cette union divine est souvent exprimée dans le Tantra, une pratique qui utilise l'énergie sexuelle pour atteindre l'illumination spirituelle. Le Tantra met l'accent sur l'importance d'équilibrer et d'harmoniser les énergies masculines et féminines en soi et avec son partenaire, comme un moyen de se connecter au divin.

Dans le bouddhisme, le concept de sexualité sacrée est moins prépondérant, mais il est néanmoins présent dans certaines traditions. Dans le bouddhisme tibétain, par exemple, la pratique de la méditation tummo (feu intérieur) implique la transmutation de l'énergie sexuelle en énergie spirituelle. Cette pratique repose sur la croyance que le corps humain possède des canaux ou des centres énergétiques, et qu'à travers la méditation et la visualisation, on peut activer et équilibrer ces canaux pour atteindre l'éveil spirituel. Bien que ce ne soit pas explicitement une pratique sexuelle, la méditation tummo implique l'utilisation de l'énergie sexuelle et est souvent décrite comme une forme de "sexe intérieur".

Le christianisme entretient une relation complexe avec la sexualité et le divin, avec de nombreuses vues et interprétations contradictoires selon les différentes dénominations. Cependant, certains mystiques chrétiens et enseignants spirituels ont souligné l'importance de considérer la sexualité comme un acte sacré et saint, et comme un moyen de se connecter au divin. Saint Jean de la Croix, par exemple, un mystique chrétien, a écrit en détail sur la métaphore de l'âme en tant qu'épouse désirant l'union avec l'époux divin, qu'il a comparée à l'union d'un homme et d'une femme sur le plan sexuel. De même, sainte Thérèse d'Avila, une mystique chrétienne, a écrit sur le "mariage spirituel" entre l'âme et Dieu comme une union et une extase complètes.

Sexe est considéré comme un acte sacré pouvant être utilisé pour communiquer avec le divin dans de nombreuses traditions amérindiennes, qui ont depuis longtemps reconnu le lien entre sexualité et spiritualité. L'activité sexuelle était souvent pratiquée dans le cadre de rituels de groupe dans certaines cultures, car on pensait qu'elle était un moyen de rajeunissement et de guérison. La pratique des individus "deux-esprits" ou "berdaches", qui étaient perçus comme incarnant à la fois des énergies masculines et féminines, était également considérée comme une forme de sexualité sacrée les reliant au divin.

Le wicca est une religion païenne moderne qui met l'accent sur l'importance de se connecter avec le monde naturel et les cycles de la terre. Dans le wicca, le divin est souvent représenté par le culte de la Déesse et du Dieu, qui sont considérés comme incarnant les énergies féminines et masculines de la création. La sexualité est perçue comme une expression naturelle et sacrée de ces énergies, et est souvent célébrée à travers des rituels tels que le Grand Rite, qui implique une union sexuelle symbolique entre la prêtresse et le prêtre. Cela est considéré comme un moyen de se connecter au divin et de manifester son pouvoir créatif dans le monde physique.

Chapitre 4

La science de la magie sexuelle

Aperçu des recherches scientifiques sur la magie sexuelle

La magie sexuelle, également connue sous le nom de sexualité sacrée, est une pratique spirituelle qui implique l'utilisation de l'énergie sexuelle pour atteindre un état de conscience supérieur, une transformation personnelle et la manifestation. Bien qu'il existe de plus en plus de témoignages suggérant que la magie sexuelle peut être un outil efficace pour la transformation personnelle et la manifestation, il existe peu de recherches scientifiques sur cette pratique. Dans cette section, nous fournirons un aperçu des recherches scientifiques sur la magie sexuelle, y compris ce que nous savons, ce que nous ne savons pas et quelles sont les futures recherches nécessaires.

L'énergie sexuelle est une force puissante qui a le potentiel de créer des changements positifs dans la vie d'une personne. Des recherches ont montré que s'engager dans des activités sexuelles peut avoir de nombreux avantages pour la santé, notamment la réduction du stress, l'amélioration de l'humeur et l'augmentation des sentiments de connexion et d'intimité (Brody, 2006). De plus, on a découvert que l'énergie sexuelle est une source puissante de créativité et d'inspiration, de nombreux artistes et écrivains utilisant cette énergie pour nourrir leur travail (Lowen, 1975).

Dans le contexte de la magie sexuelle, l'énergie sexuelle est captée et dirigée vers une intention spécifique, telle que la transformation personnelle ou la manifestation. L'idée est qu'en canalisant l'énergie sexuelle vers une intention précise, les praticiens peuvent accroître la puissance de leur intention et accélérer la manifestation de leurs désirs.

La définition d'intentions claires est un élément important de la magie sexuelle, et des études ont montré que cela peut augmenter considérablement les chances de succès. Dans une étude, les participants qui ont défini une intention claire avant d'effectuer une tâche avaient plus de chances d'atteindre leur objectif désiré que ceux qui n'avaient pas défini d'intention.

Dans le contexte de la magie sexuelle, les praticiens définissent généralement une intention claire avant de s'engager dans une activité sexuelle. Cela pourrait impliquer la visualisation de leur résultat souhaité, comme une augmentation de l'abondance, une amélioration de la santé ou une connexion plus profonde avec un partenaire, puis diriger leur énergie sexuelle vers cette intention pendant l'activité sexuelle.

La pleine conscience est un état de conscience dans lequel on est pleinement présent dans le moment, et on a découvert qu'elle comporte de nombreux avantages pour la santé, notamment la réduction du stress, l'amélioration de l'humeur et le bien-être accru (Kabat-Zinn, 2013). La pleine conscience peut également être un outil puissant pour la transformation personnelle et la manifestation, car elle permet aux praticiens de rester concentrés et présents pendant leur pratique.

Dans le contexte de la magie sexuelle, la pleine conscience peut impliquer de prêter une attention particulière aux sensations physiques de l'activité sexuelle, de rester concentré sur son intention et d'éviter les distractions ou les pensées négatives qui pourraient interférer avec la manifestation de ses désirs.

Malgré les avantages potentiels de la magie sexuelle, il existe plusieurs limites à la recherche scientifique sur cette pratique. Voici quelques exemples :

L'une des principales limitations de la recherche sur la magie sexuelle est le manque d'études contrôlées. Étant donné que la magie sexuelle est une pratique hautement individualisée, il peut être difficile de concevoir des études qui contrôlent toutes les variables qui peuvent influencer le résultat. Cela rend difficile de tirer des conclusions fermes sur l'efficacité de la magie sexuelle basée uniquement sur la recherche scientifique.

La difficulté à mesurer les résultats est un autre inconvénient de l'étude de la magie sexuelle. Il peut être difficile d'évaluer l'efficacité de la pratique à l'aide de méthodes scientifiques traditionnelles, car les résultats de la magie sexuelle sont souvent extrêmement subjectifs et difficiles à quantifier.

Enfin, il existe une stigmatisation sociale associée à la magie sexuelle et à d'autres pratiques qui combinent sexualité et spiritualité. Par conséquent, il peut être difficile de rassembler des participants, d'obtenir des financements et de publier des résultats dans des revues scientifiques réputées.

Bien qu'il existe peu de recherches scientifiques spécifiquement sur la magie sexuelle, il y a un nombre croissant d'études sur le rôle de l'énergie sexuelle, de la fixation d'intentions et de la pleine conscience dans la transformation personnelle et la manifestation. La magie sexuelle peut être un outil utile pour réaliser la transformation personnelle et la manifestation, bien que davantage d'études soient nécessaires dans ce domaine. Voici quelques avantages potentiels de la magie sexuelle :

En canalisant et en dirigeant l'énergie sexuelle vers une intention spécifique, les praticiens de la magie sexuelle peuvent approfondir leur intimité et leur connexion avec leur partenaire. Cela peut entraîner une meilleure communication, des sentiments accrus de confiance et de soutien mutuel, ainsi qu'une plus grande sensation d'intimité émotionnelle et physique.

L'énergie sexuelle s'est avérée être une source puissante de créativité et d'inspiration, et de nombreux artistes et écrivains utilisent l'énergie sexuelle pour alimenter leur travail. En canalisant et en dirigeant l'énergie sexuelle vers une intention spécifique, les praticiens de la magie sexuelle peuvent puiser dans cette énergie créative et générer de nouvelles idées, des perspectives et des inspirations.

Les recherches ont montré que l'activité sexuelle peut avoir de nombreux bienfaits pour la santé, notamment la réduction du stress, l'amélioration de l'humeur et des sentiments accrus de connexion et d'intimité (Brody, 2006). De plus, la magie sexuelle pourrait améliorer ces avantages en dirigeant l'énergie sexuelle vers des objectifs de santé spécifiques, tels qu'une meilleure fonction immunitaire, le soulagement de la douleur ou une énergie accrue.

Les praticiens de la magie sexuelle pourraient accroître leur conscience spirituelle et leur connexion avec le divin en intégrant des pratiques spirituelles telles que la prière, la méditation et la visualisation dans leur pratique. Cela peut favoriser un sentiment de sens et de but dans l'existence et renforcer le sentiment d'interconnexion avec le monde extérieur.

En conclusion, bien qu'il existe peu de recherches scientifiques spécifiquement sur la magie sexuelle, il y a un nombre croissant d'études sur le rôle de l'énergie sexuelle, de la fixation d'intentions et de la pleine conscience dans la transformation personnelle et la manifestation. La magie sexuelle peut être un instrument efficace pour réaliser la transformation personnelle et la manifestation, bien que davantage de recherches soient nécessaires dans ce domaine d'étude. Les praticiens pourraient améliorer leur intimité, leur créativité, leur santé physique et leur conscience spirituelle, ainsi que réaliser leurs objectifs plus rapidement et plus efficacement en canalisant et en concentrant l'énergie sexuelle vers un objectif spécifique.

Les effets de la magie sexuelle sur le cerveau et le corps

Afin d'apporter des changements positifs dans sa vie, les praticiens de la magie sexuelle utilisent l'énergie sexuelle et la fixation d'intentions. Une quantité croissante de recherches a été menée sur les effets de l'activité sexuelle, de la fixation d'intentions et de la pleine conscience sur le cerveau et le corps, bien qu'il n'y ait pas suffisamment de recherches scientifiques spécifiques sur la magie sexuelle. Nous donnerons un aperçu général des effets de la magie sexuelle sur le cerveau et le corps dans cette section, y compris ce qui est connu et ce qui reste encore inconnu.

Les recherches ont montré que l'activité sexuelle peut avoir divers effets bénéfiques sur le cerveau et le corps. L'activité sexuelle est une partie naturelle et saine de l'existence humaine. Voici quelques exemples :

En libérant des endorphines, qui sont des produits chimiques cérébraux produisant des sensations de plaisir et de bonheur, l'activité sexuelle peut contribuer à réduire les niveaux de stress. Les endorphines peuvent favoriser la détente et le bien-être tout en réduisant l'anxiété et les symptômes dépressifs. Selon les études, l'activité sexuelle stimule la production d'anticorps, qui sont des protéines qui aident à la défense du corps contre les infections et les maladies.

En libérant des endorphines et d'autres substances chimiques bloquant la douleur dans le corps, l'exercice sexuel peut également aider à soulager la douleur. Cela peut être particulièrement utile pour les personnes souffrant de douleurs chroniques. Selon les études, avoir une activité sexuelle améliore la santé cardiovasculaire en augmentant le flux sanguin et en réduisant la pression artérielle. De ce fait, le risque de maladies cardiaques et d'accidents vasculaires cérébraux peut être réduit.

La fixation d'intentions claires est un élément essentiel de la magie sexuelle, et les études ont montré que cela peut augmenter considérablement les chances de réussite. Voici quelques exemples de la manière dont la fixation d'intentions affecte le cerveau et le corps :

En donnant un objectif spécifique à atteindre, la fixation d'une intention claire peut aider à accroître la concentration et la focalisation. Cela peut réduire les interruptions et augmenter la productivité.

La fixation d'une intention claire peut également aider à réduire les sentiments d'anxiété et de dépression en fournissant un sentiment de but et de direction. Cela pourrait soutenir les émotions positives et améliorer le bien-être mental global.

En se donnant un objectif spécifique à atteindre, la fixation d'un but clair peut également stimuler la motivation. Cela peut inciter les gens à agir pour atteindre leur résultat souhaité en favorisant les sentiments d'accomplissement et d'estime de soi.

Il a été découvert que la pleine conscience, qui est un état de conscience dans lequel on est complètement présent dans le moment présent, a de nombreux effets bénéfiques sur le cerveau et le corps. Voici quelques exemples :

En favorisant un sentiment de calme et de détente, la pratique de la pleine conscience peut aider à réduire le stress et l'anxiété. Les effets des pensées et des sentiments négatifs peuvent être atténués grâce à la pleine conscience, ce qui peut également augmenter le bien-être.

La pratique de la pleine conscience peut également aider à améliorer la concentration et la focalisation en entraînant le cerveau à rester concentré sur le moment présent. Cela peut réduire les interruptions et augmenter la productivité.

En rendant les gens plus conscients de leurs pensées et de leurs sentiments, la pratique de la pleine conscience peut également améliorer la régulation émotionnelle. Cela peut aider les individus à mieux comprendre et gérer leurs émotions, et favoriser le bien-être émotionnel global.

Malgré le manque d'études scientifiques spécifiques sur la magie sexuelle, les conclusions des études sur les avantages de la pleine conscience, de la fixation d'intentions et de l'exercice sexuel mettent en évidence les bénéfices potentiels pour la santé de la magie sexuelle. Voici quelques exemples :

En canalisant et en dirigeant l'énergie sexuelle vers une intention spécifique, les praticiens de la magie sexuelle peuvent approfondir leur intimité et leur connexion avec leur partenaire. Cela peut conduire à une amélioration de la communication, à une augmentation des sentiments de confiance mutuelle et de soutien, ainsi qu'à un sentiment plus fort d'intimité émotionnelle et physique.

L'activité sexuelle libère des endorphines et d'autres substances chimiques qui favorisent les sensations de plaisir et de bonheur dans le cerveau. En dirigeant l'énergie sexuelle vers une intention précise, les praticiens de la magie sexuelle peuvent renforcer ces sensations de plaisir et de bonheur, et améliorer l'humeur et le bien-être général.

Il a été découvert que l'énergie sexuelle est une source puissante de créativité et d'inspiration, et de nombreux artistes et écrivains utilisent cette énergie pour nourrir leur travail. En canalisant et en dirigeant l'énergie sexuelle vers une intention spécifique, les praticiens de la magie sexuelle peuvent puiser dans cette énergie créative et générer de nouvelles idées, perspectives et inspirations.

L'engagement dans l'activité sexuelle a montré de nombreux avantages pour la santé, notamment la réduction du stress, l'amélioration de la fonction immunitaire, le soulagement de la douleur et l'amélioration de la santé cardiovasculaire. En dirigeant l'énergie sexuelle vers des objectifs de santé spécifiques, tels que le soulagement de la douleur ou l'amélioration de la fonction immunitaire, les praticiens de la magie sexuelle peuvent renforcer ces avantages et favoriser la santé physique globale.

Les praticiens de la magie sexuelle peuvent augmenter leur conscience spirituelle et leur connexion au divin en intégrant des pratiques spirituelles telles que la prière, la méditation et la visualisation dans leur pratique. Cela peut favoriser un sentiment de sens et de dessein dans l'existence et approfondir le sentiment d'interconnexion avec le monde extérieur.

En conclusion, malgré le manque d'études scientifiques spécifiques sur la magie sexuelle, les conclusions des études sur les effets de l'activité sexuelle, de la fixation d'intentions et de la pleine conscience mettent en évidence plusieurs avantages potentiels de la magie sexuelle pour le cerveau et le corps. En canalisant et en dirigeant l'énergie sexuelle vers une intention spécifique, les praticiens de la magie sexuelle peuvent améliorer les sentiments de connexion et d'intimité, améliorer l'humeur et le bien-être, renforcer la créativité et l'inspiration, améliorer la santé physique et approfondir la conscience spirituelle. Les preuves actuellement disponibles indiquent que la magie sexuelle peut être un outil puissant pour l'autotransformation et la manifestation, et qu'elle peut avoir de nombreux effets bénéfiques sur le cerveau et le corps. Cependant, davantage de recherches sont nécessaires dans ce domaine spécifique.

Comment la magie sexuelle peut améliorer la santé mentale et physique

Afin d'apporter des changements bénéfiques dans sa vie, les praticiens de la magie sexuelle utilisent l'énergie sexuelle et la fixation d'intentions. La magie sexuelle peut être un outil puissant pour améliorer à la fois la santé physique et émotionnelle, bien qu'elle ne puisse pas remplacer un traitement médical traditionnel ou une thérapie. Dans cette section, nous donnerons un aperçu de la manière dont la magie sexuelle peut améliorer la santé mentale et physique, y compris ce que nous savons et ce que nous devons encore apprendre.

L'énergie sexuelle est une force puissante qui peut avoir un impact profond sur la santé mentale et physique. Lorsque nous nous engageons dans une activité sexuelle, le corps libère plusieurs substances chimiques qui favorisent les sensations de plaisir, de bonheur et de détente. Ces substances chimiques, telles que les endorphines, l'ocytocine et la dopamine, peuvent contribuer à réduire le stress, l'anxiété et la dépression, et favoriser un sentiment général de bien-être (Pfaus et al., 2016).

De plus, il a été découvert que l'énergie sexuelle est une source puissante de créativité et d'inspiration, et de nombreux artistes et écrivains utilisent cette énergie pour alimenter leur travail. En canalisant et en dirigeant l'énergie sexuelle vers une intention spécifique, les praticiens de la magie sexuelle peuvent peut-être puiser dans cette énergie créative et générer de nouvelles idées, perspectives et inspirations.

Enfin, l'énergie sexuelle peut également avoir un impact positif sur la santé physique. Il a été démontré que l'activité sexuelle libère des endorphines et d'autres substances chimiques qui favorisent la fonction immunitaire, réduisent la douleur et améliorent la santé cardiovasculaire (Brody, 2006 ; Charnetski & Brennan, 2004 ; Levine, 2012).

La fixation d'intentions est un aspect crucial de la magie sexuelle, et elle peut avoir un effet significatif sur la santé mentale. Les praticiens de la magie sexuelle peuvent créer un sentiment de but et de direction en fixant un objectif spécifique pour leur énergie sexuelle, ce qui peut contribuer à atténuer les sentiments d'anxiété et de dépression.

En se fixant un objectif spécifique à atteindre, la fixation d'intentions peut également aider à améliorer la concentration et la focalisation. Cela peut réduire les interruptions et accroître la productivité. Les praticiens de la magie sexuelle peuvent améliorer leur capacité de concentration et obtenir les résultats qu'ils désirent en définissant clairement leurs intentions pour leur énergie sexuelle.

Enfin, la fixation d'intentions peut également accroître la motivation en fournissant un objectif clair à atteindre. Cela peut inciter les gens à agir afin d'obtenir le résultat souhaité en favorisant les sentiments d'accomplissement et d'estime de soi.

Il a été découvert que la pleine conscience, qui est un état de conscience où l'on est pleinement présent dans le moment présent, a de nombreux effets positifs sur la santé mentale. Les praticiens de la magie sexuelle peuvent renforcer leur connexion avec leur corps et leur partenaire en pratiquant la pleine conscience pendant l'activité sexuelle, ce qui peut améliorer le bien-être et réduire le stress et l'anxiété.

De plus, la pleine conscience peut atténuer l'impact des émotions et des pensées défavorables et accroître les sentiments de bien-être. Les praticiens de la magie sexuelle peuvent réduire les sentiments dépressifs et anxieux pendant l'activité sexuelle, améliorant ainsi la santé mentale générale.

Enfin, la pleine conscience peut aider à améliorer la régulation émotionnelle en aidant les individus à prendre davantage conscience de leurs pensées et émotions. Cela peut aider les individus à mieux comprendre et gérer leurs émotions, et promouvoir le bien-être émotionnel général (Hölzel et al., 2011).

En combinant l'énergie sexuelle, la fixation d'intentions et la pleine conscience, la magie sexuelle peut avoir de nombreux effets positifs sur la santé mentale et physique. Voici quelques exemples :

En libérant des endorphines et d'autres substances chimiques favorisant les sensations de plaisir et de détente, l'activité sexuelle peut aider à réduire le stress et l'anxiété. En combinant l'énergie sexuelle avec la fixation d'intentions et la pleine conscience, les praticiens de la magie sexuelle peuvent encore réduire les sentiments de stress et d'anxiété, et favoriser un sentiment général de bien-être.

En canalisant et dirigeant l'énergie sexuelle vers une intention spécifique, les praticiens de la magie sexuelle peuvent approfondir leur intimité et leur connexion avec leur partenaire. Cela peut entraîner une meilleure communication, une augmentation des sentiments de confiance mutuelle et de soutien, ainsi qu'un sentiment accru d'intimité émotionnelle et physique.

On a découvert que l'énergie sexuelle est une source puissante de créativité et d'inspiration, et de nombreux artistes et écrivains utilisent cette énergie pour alimenter leur travail. En canalisant et en dirigeant l'énergie sexuelle vers une intention spécifique, les praticiens de la magie sexuelle peuvent potentiellement puiser dans cette énergie créative et générer de nouvelles idées, des perceptions et des inspirations.

Il a été démontré que l'activité sexuelle présente de nombreux avantages pour la santé, tels que la réduction du stress, l'amélioration des fonctions immunitaires, le soulagement de la douleur et l'amélioration de la santé cardiovasculaire. En dirigeant l'énergie sexuelle vers des objectifs de santé spécifiques, tels que le soulagement de la douleur ou l'amélioration des fonctions immunitaires, les praticiens de la magie sexuelle peuvent potentiellement améliorer ces avantages et favoriser la santé physique globale.

Les praticiens de la magie sexuelle peuvent également améliorer leur conscience spirituelle et leur connexion au divin en intégrant des pratiques spirituelles telles que la prière, la méditation et la visualisation dans leur pratique. Cela peut renforcer leur sentiment de but et d'importance dans la vie, ainsi que leur sentiment d'interconnexion avec tout ce qui les entoure.

Bien que la magie sexuelle puisse être un outil efficace pour améliorer à la fois la santé physique et mentale, il est crucial de se rappeler qu'elle ne doit pas être utilisée en remplacement des soins médicaux conventionnels ou de la thérapie. Avant de commencer toute nouvelle pratique liée à la santé et au bien-être, les praticiens de la magie sexuelle doivent toujours demander l'avis de professionnels de la santé.

De plus, les praticiens de la magie sexuelle doivent toujours placer leur sécurité et celle de leurs partenaires au premier plan. Les pratiques doivent être sûres et consensuelles. Les limites, la communication et le consentement doivent tous être pris en compte et respectés.

Enfin, il est essentiel de se rappeler que, malgré le fait que la magie sexuelle puisse avoir divers effets positifs sur la santé mentale et physique, elle peut ne pas convenir à tout le monde. Certaines personnes peuvent avoir des croyances religieuses ou culturelles qui interdisent ou découragent l'utilisation de la magie sexuelle, et d'autres peuvent tout simplement ne pas être intéressées par cette pratique. Les individus doivent prendre en considération leurs propres valeurs et croyances avant de décider si la magie sexuelle est une pratique qui correspond à leurs propres valeurs et objectifs.

En conclusion, la magie sexuelle a le potentiel d'être un puissant outil pour améliorer à la fois le bien-être physique et mental. En combinant l'énergie sexuelle, la fixation d'intentions et la pleine conscience, les praticiens de la magie sexuelle peuvent réduire le stress et l'anxiété, améliorer l'intimité et la connexion, favoriser la créativité et l'inspiration, promouvoir la santé physique et accroître la conscience spirituelle. Même si elle n'est pas un substitut aux soins médicaux conventionnels ou à la thérapie, la magie sexuelle peut être un ajout utile à l'approche globale de la santé et du bien-être. Comme pour toute nouvelle pratique, il est important que les individus abordent la magie sexuelle avec un esprit ouvert et qu'ils accordent toujours la priorité à leur sécurité et à leur bien-être.

Chapitre 5

Magie sexuelle en solo

Comment pratiquer la magie sexuelle seul(e)

La magie sexuelle est une pratique spirituelle qui utilise l'énergie sexuelle et l'intention pour créer des changements positifs dans la vie. Elle est souvent associée aux pratiques du Tantra, mais elle peut être pratiquée par n'importe qui, quelles que soient ses croyances spirituelles ou religieuses. Bien que la magie sexuelle soit souvent pratiquée en couple, il est également possible de la pratiquer seul. Dans cette section, nous explorerons les techniques et les considérations pour une pratique réussie de la magie sexuelle en solo.

Avant de commencer une pratique de magie sexuelle en solo, il est important de créer un espace sûr et confortable. Cet espace doit être exempt de distractions et d'interruptions. Des bougies, des cristaux ou des symboles sacrés sont quelques exemples de choses personnelles que vous pourriez utiliser pour décorer la pièce. Il peut également être utile de pratiquer une brève méditation ou visualisation pour aider à concentrer l'esprit et se connecter à votre intention pour la pratique.

L'un des aspects les plus importants de la pratique de la magie sexuelle en solo est de fixer une intention claire pour la pratique. Cette intention doit être spécifique, réalisable et en accord avec vos objectifs et valeurs généraux. Il est important de prendre le temps de réfléchir à vos intentions et d'en choisir une qui résonne profondément en vous.

Vous pouvez choisir d'écrire votre intention et de la garder à un endroit où vous pouvez la voir régulièrement, comme sur votre autel ou dans votre journal. Cela vous aidera à rester concentré sur votre intention tout au long de votre pratique.

Il existe de nombreuses techniques qui peuvent être utilisées pour pratiquer la magie sexuelle en solo. Voici quelques exemples :

L'une des techniques les plus courantes pour la pratique de la magie sexuelle en solo est l'auto-stimulation. En dirigeant l'énergie sexuelle vers une intention spécifique pendant la masturbation, vous pouvez canaliser et diriger votre énergie sexuelle vers le résultat souhaité.

Pour pratiquer la magie sexuelle par l'auto-stimulation, vous devez commencer par définir une intention claire pour la pratique. Cette intention peut être liée à la croissance personnelle, à la guérison, à la manifestation ou à tout autre résultat souhaité. Une fois l'intention définie, engagez-vous dans l'auto-stimulation en concentrant vos pensées et votre énergie sur votre intention tout au long de la pratique.

La visualisation est une autre technique puissante pour la pratique solitaire de la magie sexuelle. En visualisant un résultat souhaité tout en s'engageant dans une activité sexuelle, vous pouvez utiliser le pouvoir de votre imagination pour manifester le résultat désiré.

Pour pratiquer la magie sexuelle par le biais de la visualisation, vous devriez commencer par définir une intention claire pour la pratique. Cette intention peut être liée à la croissance personnelle, à la guérison, à la manifestation ou à tout autre résultat souhaité. Une fois que l'intention est définie, vous devriez vous engager dans une activité sexuelle, en concentrant vos pensées et votre énergie sur votre intention tout en visualisant le résultat souhaité.

La respiration est une technique qui peut être utilisée pour améliorer le flux de l'énergie sexuelle et augmenter sa puissance pendant la pratique solitaire de la magie sexuelle. En pratiquant une respiration profonde et rythmique pendant l'activité sexuelle, vous pouvez augmenter votre concentration, votre énergie et votre sentiment général de bien-être.

Pour pratiquer la magie sexuelle grâce à la respiration, vous devriez commencer par définir une intention claire pour la pratique. Cette intention peut être liée à la croissance personnelle, à la guérison, à la manifestation ou à tout autre résultat souhaité. Une fois que l'intention est définie, vous devriez vous engager dans une activité sexuelle, en vous concentrant sur votre respiration et en utilisant une respiration profonde et rythmique pour améliorer le flux de l'énergie sexuelle dans tout le corps.

Créer un espace sacré pour la pratique solitaire de la magie sexuelle peut aider à renforcer l'efficacité de votre pratique. Un espace sacré est un espace physique désigné pour la pratique spirituelle et imprégné d'énergie positive et d'intention.

Pour créer un espace sacré pour votre pratique solitaire de la magie sexuelle, vous devriez choisir un endroit qui vous semble sûr et confortable. Des symboles sacrés, des bougies, des cristaux ou d'autres objets ayant une signification particulière peuvent être utilisés pour décorer la zone. Vous pourriez décider de construire un autel ou un autre type de point focal pour votre pratique.

Prenez un moment pour vous recentrer et vous connecter avec l'intention de votre pratique avant de commencer. Pour vous aider à vous concentrer et à établir une connexion avec votre énergie spirituelle, vous pourriez décider de pratiquer une courte méditation ou visualisation.

Il y a quelques choses à garder à l'esprit pour assurer une pratique réussie de la magie sexuelle en solo, même si elle peut être un outil puissant pour le développement personnel et la transformation :

Il est important de privilégier votre propre sécurité et bien-être, même lorsque vous pratiquez la magie sexuelle en solo. Cela implique de prendre des précautions pour éviter tout préjudice ou blessure lors de la pratique de l'activité sexuelle, ainsi que de s'assurer que tout est sûr et consensuel.

La régularité est essentielle pour une pratique réussie de la magie sexuelle. Vous devriez essayer de pratiquer la magie sexuelle régulièrement, idéalement quotidiennement ou hebdomadairement, afin de renforcer le flux d'énergie sexuelle et de maintenir votre concentration sur vos intentions.

La magie sexuelle est un outil puissant pour la transformation personnelle, mais ce n'est pas une solution rapide. Il peut prendre du temps et de la persévérance pour voir des résultats de la pratique de la magie sexuelle en solo, et vous devriez être patient et persévérant dans votre pratique.

En conclusion, la pratique en solo de la magie sexuelle est un outil puissant pour la croissance personnelle et la transformation. En utilisant et dirigeant votre énergie sexuelle vers une intention spécifique, vous pouvez manifester des changements positifs dans votre vie. Que vous choisissiez de pratiquer par auto-stimulation, visualisation, travail sur la respiration ou une combinaison de ces techniques, il est important de définir une intention claire et de créer un espace sûr et confortable pour votre pratique. Avec constance, patience et persévérance, vous pouvez exploiter le pouvoir de la magie sexuelle pour atteindre vos objectifs souhaités et améliorer votre croissance spirituelle.

Techniques de plaisir solitaire et de fixation d'intention

L'auto-plaisir est une partie naturelle et saine de la sexualité humaine. Il peut également être un outil puissant pour la croissance personnelle et la transformation lorsqu'il est combiné avec la fixation d'intentions. Dans cette section, nous allons explorer les techniques d'auto-plaisir et de fixation d'intentions, y compris les avantages et les considérations de ces pratiques.

La première étape pour combiner l'auto-plaisir avec la fixation d'intentions consiste à définir une intention claire pour la pratique. Cette intention doit être spécifique, réalisable et alignée sur vos objectifs et valeurs globaux. Il est important de prendre le temps de réfléchir à vos intentions et d'en choisir une qui résonne profondément en vous.

Une fois que vous avez choisi votre intention, écrivez-la ou gardez-la à l'esprit pendant votre pratique d'auto-plaisir. Cela vous aidera à rester concentré sur votre intention tout au long de votre pratique.

La respiration est une technique puissante qui peut améliorer le flux d'énergie sexuelle et en augmenter la puissance pendant l'auto-plaisir et la fixation d'intentions. En pratiquant une respiration profonde et rythmée, vous pouvez augmenter votre concentration, votre énergie et votre sensation générale de bien-être.

Pour pratiquer la respiration pendant l'auto-plaisir, commencez par prendre de profondes inspirations lentes par le nez et expirez par la bouche. Concentrez-vous sur la sensation de votre respiration alors qu'elle traverse votre corps et utilisez le rythme de votre respiration pour augmenter le flux d'énergie sexuelle.

La visualisation est une autre technique qui peut être utilisée pour renforcer la puissance de l'auto-plaisir et de la fixation d'intentions. En visualisant un résultat souhaité tout en pratiquant l'auto-plaisir, vous pouvez utiliser le pouvoir de votre imagination pour manifester le résultat souhaité.

Pour pratiquer la visualisation pendant l'auto-plaisir, commencez par définir une intention claire pour la pratique. Cette intention peut être liée à la croissance personnelle, à la guérison, à la manifestation ou à tout autre résultat souhaité. Une fois que l'intention est définie, engagez-vous dans l'auto-plaisir tout en concentrant vos pensées et votre énergie sur votre intention et en visualisant le résultat souhaité.

La stimulation sensorielle est une autre technique qui peut être utilisée pour renforcer le pouvoir de l'auto-plaisir et de la fixation d'intention. En mobilisant tous vos sens, vous pouvez augmenter le flux d'énergie sexuelle et vous connecter à votre intention à un niveau plus profond.

Pour pratiquer la stimulation sensorielle pendant l'auto-plaisir, mobilisez tous vos sens en utilisant des parfums, des sons, des textures et d'autres stimuli sensoriels qui vous plaisent. Cela peut vous aider à augmenter votre concentration et à améliorer l'expérience globale de votre pratique.

Bien que l'auto-plaisir et la fixation d'intention puissent être des outils puissants pour la croissance personnelle et la transformation, il y a quelques considérations à garder à l'esprit pour garantir une pratique réussie :

Même en pratiquant l'auto-plaisir en solitaire, il est essentiel de prioriser votre propre sécurité et bien-être. Cela implique de prendre des précautions pour éviter tout dommage ou blessure lors de la pratique de l'activité sexuelle, ainsi que de veiller à ce qu'elle soit sûre et consentante.

En ce qui concerne la pratique réussie de l'auto-plaisir et de la fixation d'intention, la constance est essentielle. Pour augmenter le flux d'énergie sexuelle et garder vos objectifs à l'esprit, essayez de pratiquer fréquemment, idéalement quotidiennement ou hebdomadairement.

Bien que ce ne soit pas une solution rapide, l'auto-plaisir et les pratiques de fixation d'intention peuvent être des outils puissants pour la transformation personnelle. Vous devez être patient et persévérant dans votre pratique, car il peut prendre du temps et des efforts pour voir des résultats avec ces méthodes.

En conclusion, l'auto-plaisir et la fixation d'intention peuvent être un outil puissant pour la croissance personnelle et la transformation. Vous pouvez canaliser et guider votre énergie sexuelle vers le résultat souhaité en définissant un objectif clair et en utilisant des techniques telles que le travail sur la respiration, la visualisation et la stimulation sensorielle. Vous pouvez utiliser le pouvoir de l'auto-plaisir et de la fixation d'intention pour améliorer votre bien-être général et atteindre vos objectifs souhaités si vous pratiquez avec constance, patience et persévérance.

Il est nécessaire d'aborder ces pratiques avec respect et précaution, en vous accordant du temps pour réfléchir à vos objectifs et vous assurer que vous les abordez de manière sûre et consentante. En combinant l'auto-plaisir avec la fixation d'intention, vous pouvez développer une pratique puissante et transformative qui peut faire progresser votre développement spirituel et votre croissance personnelle.

Vous pouvez approfondir votre compréhension de vous-même et de vos désirs en incorporant la pleine conscience et l'auto-réflexion dans votre routine d'auto-plaisir et de fixation d'intention. En prenant le temps de réfléchir à vos intentions et aux sensations et émotions qui surgissent pendant votre pratique, vous pouvez gagner un aperçu de votre propre fonctionnement intérieur et apprendre à mieux vous connecter avec votre énergie sexuelle.

Il existe diverses autres pratiques qui peuvent être utilisées pour augmenter le pouvoir de l'auto-plaisir et de la fixation d'intention en plus des méthodes mentionnées ci-dessus. Voici quelques exemples:

Lorsque vous pratiquez l'auto-plaisir et la fixation d'intention, vous pouvez utiliser des affirmations pour renforcer vos intentions et affûter votre concentration. Vous pouvez renforcer vos intentions et croyances positives tout en améliorant votre concentration en vous répétant des affirmations.

Choisissez une déclaration positive qui représente votre résultat souhaité lorsque vous utilisez des affirmations pour l'auto-plaisir et la fixation d'intention, comme "Je suis digne d'amour et de bonheur" ou "Je suis capable d'atteindre mes objectifs". Pendant que vous vous adonnez à l'auto-plaisir, répétez ce mantra pour vous-même afin qu'il puisse devenir partie de votre subconscient et vous aider à être plus concentré et déterminé.

Lorsque vous pratiquez l'auto-plaisir et la fixation d'intention, l'auto-massage et les soins du corps peuvent être utilisés pour améliorer les sensations physiques et augmenter le flux d'énergie sexuelle. Vous pouvez renforcer votre connexion à votre énergie sexuelle et améliorer votre expérience globale en utilisant le toucher pour explorer votre corps et augmenter votre plaisir.

Pour commencer le processus d'auto-massage et de soins du corps pendant l'auto-plaisir et la fixation d'intention, commencez par explorer votre corps avec vos mains, en utilisant le toucher pour augmenter votre plaisir et améliorer vos sensations physiques. Pour tirer le meilleur parti de votre expérience, vous pourriez envisager d'utiliser des huiles de massage ou des instruments pour l'auto-massage, disponibles dans la plupart des magasins spécialisés.

Pendant l'exercice d'auto-plaisir et de fixation d'intention, vous pourriez trouver avantageux d'utiliser des aides et des jouets sexuels afin d'augmenter votre plaisir et de découvrir de nouvelles sensations. En expérimentant avec une variété de jouets et d'aides, vous pouvez accroître le plaisir que vous procure l'activité sexuelle et découvrir de nouveaux aspects de votre sexualité.

Pour intégrer des aides et des jouets sexuels dans votre pratique d'auto-plaisir et de fixation d'intention, choisissez des jouets et des aides qui résonnent avec le résultat souhaité et vous aident à explorer de nouvelles sensations. Quelques exemples peuvent inclure des vibromasseurs, des godes ou des jouets anaux.

Pendant votre pratique d'auto-plaisir et de fixation d'intention, il peut être utile d'augmenter votre énergie sexuelle et votre concentration en expérimentant différentes positions et techniques. Vous pouvez intensifier votre plaisir et approfondir votre relation avec votre énergie sexuelle en expérimentant différentes positions et techniques.

Essayez différentes positions et stratégies pendant votre pratique d'auto-plaisir et de fixation d'intention. L'objectif est de trouver une combinaison de celles-ci qui à la fois améliorent votre expérience de plaisir et facilitent votre concentration sur vos objectifs. Utiliser un miroir pour améliorer son expérience visuelle ou pratiquer la respiration pour améliorer le flux d'énergie sexuelle sont seulement deux exemples de comment de telles pratiques peuvent être utilisées.

Il est essentiel d'aborder ces pratiques avec un cœur ouvert et un esprit curieux, en vous permettant d'explorer et d'expérimenter de manière sécuritaire et volontaire. En prenant le temps de réfléchir à vos intentions et aux sensations et émotions qui surviennent pendant votre pratique, vous pouvez approfondir votre compréhension de vous-même et de vos désirs, et utiliser le pouvoir de l'auto-plaisir et de la fixation d'intention pour améliorer votre croissance personnelle et votre développement spirituel.

Dans l'ensemble, la pratique de l'auto-plaisir et de la fixation d'intention peut être une pratique puissante et transformative qui améliorera votre bien-être général et vous aidera à atteindre vos objectifs. Vous pouvez exploiter le pouvoir de votre énergie sexuelle et l'utiliser pour promouvoir votre croissance personnelle et votre développement spirituel en intégrant des pratiques telles que le travail sur la respiration, la visualisation et la stimulation sensorielle, et en traitant ces pratiques avec respect, soin et pleine conscience.

Les avantages de la magie sexuelle en solo

L'art d'utiliser l'énergie sexuelle pour provoquer des résultats désirés est connu sous le nom de magie sexuelle. Elle peut être pratiquée seule ou avec un partenaire et constitue un puissant instrument de développement personnel et de transformation. Dans cette section, nous explorerons les avantages de la magie sexuelle en solo, notamment ses effets sur la santé mentale et physique, la croissance spirituelle et le développement personnel.

Les effets de la magie sexuelle en solo sur le bien-être physique et émotionnel peuvent être profonds. Vous pouvez améliorer votre bien-être général et réduire le stress et l'anxiété en pratiquant l'auto-plaisir et la fixation d'intention. Voici quelques avantages de la magie sexuelle en solo pour la santé physique et mentale :

S'adonner à l'auto-plaisir peut être un puissant moyen de soulager le stress. Vous pouvez réduire le stress et l'anxiété ainsi qu'améliorer votre sentiment général de calme et de relaxation en libérant l'énergie sexuelle accumulée et en vous engageant dans des activités basées sur le plaisir.

La libération sexuelle peut également contribuer à améliorer la qualité du sommeil. Avant d'aller vous coucher, vous pouvez vous sentir plus détendu et avoir plus de facilité à vous endormir et à rester endormi en pratiquant l'auto-plaisir et en libérant l'énergie sexuelle.

L'auto-plaisir peut également être un puissant moyen de soulager la douleur. En pratiquant l'activité sexuelle, le corps libère des endorphines et d'autres analgésiques naturels qui peuvent aider à réduire la douleur et l'inconfort.

Il a été démontré que le système immunitaire fonctionne correctement avec une activité sexuelle régulière. Le corps produit plus d'anticorps et d'autres cellules pour renforcer le système immunitaire, ce qui peut aider à se défendre contre les maladies lorsque l'auto-plaisir et la libération d'énergie sexuelle sont pratiqués.

Pour le développement spirituel et personnel, la magie sexuelle en solo peut être un instrument puissant. Vous pouvez renforcer votre relation avec vous-même et l'univers et améliorer votre sentiment général de bien-être spirituel en utilisant le pouvoir de l'énergie sexuelle. Parmi les avantages de la magie sexuelle en solo pour le développement spirituel, on trouve :

Votre conscience et votre conscience globales peuvent se développer lorsque vous pratiquez l'auto-plaisir et la fixation d'intention. En portant votre attention sur votre énergie sexuelle et vos intentions, vous pouvez augmenter votre sentiment global de présence et de conscience, et approfondir votre connexion avec vous-même et l'univers.

Vous pouvez développer votre intuition et vos compétences psychiques en pratiquant l'auto-plaisir et en fixant des intentions. En permettant à l'écoulement de l'énergie sexuelle de pénétrer en vous et en vous concentrant sur vos objectifs, vous pouvez améliorer votre sensibilité et votre conscience globale, renforcer votre connexion avec votre sagesse intérieure et développer votre intuition.

Votre relation avec le divin peut également être renforcée par l'auto-plaisir et la fixation d'intention. En canalisant le pouvoir de l'énergie sexuelle dans la direction de votre résultat souhaité, vous pouvez accéder à la force créatrice universelle et renforcer votre sentiment global de connexion à quelque chose de plus grand que vous.

La magie sexuelle en solo peut également être un instrument efficace pour l'amélioration et l'expansion de soi. Vous pouvez améliorer votre sentiment général de but et de direction dans la vie en fixant des objectifs clairs et en vous concentrant sur le résultat désiré. Parmi les avantages du développement personnel de la magie sexuelle en solo, on trouve :

Votre sensation de confiance en vous et d'estime de soi peut être augmentée par l'auto-plaisir et la fixation d'intention. En fixant des intentions claires et en vous concentrant sur le résultat que vous désirez, vous pouvez accéder à votre force intérieure et renforcer votre sentiment de valeur.

L'auto-plaisir et la fixation d'intention peuvent également stimuler votre créativité globale ainsi que votre inspiration. Vous pouvez accéder à votre propre créativité intérieure et à l'inspiration et augmenter votre sens général de l'innovation et de l'imagination en vous ouvrant à l'écoulement de l'énergie sexuelle et en vous concentrant sur vos objectifs.

Vous pouvez ressentir une concentration accrue et une productivité globale en pratiquant l'auto-plaisir et la fixation d'intention. En établissant des intentions claires et en vous concentrant sur le résultat souhaité, vous pouvez augmenter votre motivation et votre volonté d'atteindre vos objectifs, ainsi que votre productivité globale.

L'auto-plaisir et la fixation d'intention peuvent également accroître votre sens général de la conscience de soi. En prenant le temps de réfléchir à vos intentions et à vos désirs, ainsi qu'en explorant votre propre énergie sexuelle, vous pouvez améliorer votre compréhension de vous-même et de vos fonctionnements internes, augmenter votre sens global de conscience de soi et améliorer votre croissance personnelle.

En conclusion, la magie sexuelle en solo est un instrument puissant pour le développement personnel et la transformation. Vous pouvez améliorer votre sentiment général de bien-être et atteindre vos objectifs désirés en utilisant le pouvoir de l'énergie sexuelle et en fixant des intentions claires. La magie sexuelle en solo peut vous aider à accéder à votre force intérieure et à renforcer votre connexion avec l'univers et vous-même, à la fois en ce qui concerne ses effets sur votre santé physique et émotionnelle et ses avantages pour le développement spirituel et la croissance personnelle.

Il est crucial de traiter ces pratiques avec respect, soin et conscience. Vous devriez également vous accorder suffisamment de temps pour réfléchir à vos objectifs et aspirations. Avec constance, patience et persévérance, vous pouvez exploiter le pouvoir de l'auto-plaisir et de la fixation d'intention pour atteindre vos objectifs désirés et améliorer votre sentiment général de bien-être.

Chapitre 6

Magie sexuelle en couple

Comment pratiquer la magie sexuelle avec un partenaire

La magie sexuelle est une pratique qui consiste à utiliser l'énergie sexuelle pour manifester des résultats souhaités. Bien qu'elle puisse être pratiquée seule, elle peut également être un outil puissant pour approfondir la connexion entre les partenaires et renforcer le lien au sein d'une relation. Dans cette section, nous explorerons comment

pratiquer la magie sexuelle avec un partenaire, y compris les techniques de fixation d'intention, de connexion physique et de croissance spirituelle.

La première étape pour pratiquer la magie sexuelle avec un partenaire consiste à fixer des intentions claires. Cela implique d'identifier le résultat souhaité et de le communiquer à votre partenaire. Que ce soit pour approfondir votre connexion, manifester un objectif spécifique ou simplement améliorer le plaisir, il est important d'être clair sur vos intentions et de les aligner avec les désirs de votre partenaire.

Pour fixer des intentions pour la magie sexuelle avec un partenaire, commencez par discuter de vos désirs et objectifs mutuels. Notez vos intentions et gardez-les dans un endroit visible où vous pouvez tous les deux les voir. Avant de vous engager dans une activité sexuelle, prenez quelques instants pour vous concentrer sur vos intentions et les visualiser comme étant déjà réalisées.

La connexion physique entre les partenaires est un aspect crucial de la pratique de la magie sexuelle. En vous accordant mutuellement sur le plan énergétique et en synchronisant vos mouvements et votre respiration, vous pouvez approfondir votre connexion et augmenter le flux d'énergie sexuelle.

Pour améliorer la connexion physique lors de la magie sexuelle en couple, commencez par prendre le temps de vous connecter l'un à l'autre avant de vous engager dans une activité sexuelle. Cela peut inclure les câlins, les massages ou simplement se tenir la main et se regarder dans les yeux. Pendant l'activité sexuelle, concentrez-vous sur la synchronisation de vos mouvements et de votre respiration, et accordez-vous mutuellement sur le plan énergétique.

La stimulation sensorielle peut également être un outil puissant pour améliorer la pratique de la magie sexuelle avec un partenaire. En engageant tous vos sens, vous pouvez augmenter le flux d'énergie sexuelle et approfondir votre connexion mutuelle.

Pour incorporer la stimulation sensorielle dans la magie sexuelle en couple, expérimentez différentes techniques telles que l'utilisation de bougies parfumées, la musique, ou l'incorporation d'huiles de massage ou d'autres aides sensorielles. Engagez tous vos sens, y compris le toucher, l'odorat, le goût, la vue et l'ouïe, et permettez-vous de vivre pleinement le moment.

La respiration est un outil puissant pour augmenter le flux d'énergie sexuelle et améliorer la pratique de la magie sexuelle en couple. En synchronisant votre respiration avec celle de votre partenaire et en vous concentrant sur une respiration profonde et rythmique, vous pouvez augmenter votre sensation générale de détente et de connexion.

Pour intégrer la respiration dans la magie sexuelle avec un partenaire, commencez par prendre de profondes et lentes respirations ensemble avant de vous engager dans une activité sexuelle. Pendant l'activité sexuelle, concentrez-vous sur la synchronisation de votre respiration et laissez-la devenir plus profonde et plus rythmée à mesure que vous accumulez de l'énergie sexuelle.

La magie sexuelle avec un partenaire peut également être un outil puissant pour la croissance spirituelle et le développement personnel. En approfondissant votre connexion mutuelle ainsi qu'avec l'univers, vous pouvez accéder à un sentiment plus grand de but et d'épanouissement.

Pour approfondir votre connexion spirituelle pendant la magie sexuelle avec un partenaire, essayez d'incorporer des pratiques telles que la méditation ou la visualisation. Visualisez vos intentions comme déjà réalisées et permettez-vous d'accéder à la force créatrice de l'univers. Prenez le temps de réfléchir à vos expériences et de vous connecter mutuellement à un niveau plus profond.

La communication est essentielle lors de la pratique de la magie sexuelle avec un partenaire. Il est important de communiquer ouvertement sur vos désirs, vos limites et vos intentions, et de vérifier l'état des choses l'un avec l'autre tout au long du processus. Cela peut aider à approfondir votre connexion et à vous assurer que vous êtes tous les deux sur la même longueur d'onde.

Pour améliorer la communication pendant la magie sexuelle avec un partenaire, prenez le temps de discuter de vos désirs et de vos limites avant de vous engager dans une activité sexuelle. Faites le point régulièrement tout au long du processus et soyez ouverts à ajuster votre approche si nécessaire. N'oubliez pas de respecter et de soutenir les besoins et les désirs de chacun.

En conclusion, la magie sexuelle avec un partenaire peut être un outil puissant pour approfondir la connexion entre les partenaires et manifester des résultats souhaités. En fixant des intentions claires, en vous concentrant sur la connexion physique, en incorporant la stimulation sensorielle, la respiration et en approfondissant votre connexion spirituelle, vous pouvez améliorer votre sentiment général de bien-être et renforcer votre lien avec votre partenaire.

Il est important d'aborder ces pratiques avec respect, soin et pleine conscience, et de communiquer ouvertement avec votre partenaire. Vous pouvez utiliser le pouvoir de la magie sexuelle pour renforcer votre relation et atteindre les résultats que vous désirez si vous pratiquez avec constance, patience et persévérance.

Voici quelques conseils supplémentaires pour pratiquer la magie sexuelle avec un partenaire :

Expérimenter différentes techniques et positions sexuelles peut aider à améliorer la connexion physique et à augmenter le flux d'énergie sexuelle. Les couples devraient être ouverts à essayer de nouvelles choses et à trouver ce qui fonctionne le mieux pour eux. Il est essentiel de maintenir une communication ouverte et de respecter les limites et les préférences de chacun.

Les affirmations sont des déclarations positives qui peuvent aider à renforcer vos intentions et approfondir votre connexion mutuelle. Répéter des affirmations telles que "Je suis profondément connecté(e) à mon partenaire" ou "Notre amour est puissant et transformateur" pendant la magie sexuelle avec un partenaire peut créer une intention puissante et améliorer l'expérience.

La pleine conscience est la pratique d'être pleinement présent et conscient dans le moment présent. Pratiquer la pleine conscience pendant la magie sexuelle avec un partenaire peut approfondir la connexion et augmenter le flux d'énergie sexuelle. Se concentrer sur les sensations dans le corps, la respiration et l'énergie du partenaire peut améliorer l'expérience.

Les rituels peuvent être des outils puissants pour fixer des intentions et approfondir la connexion spirituelle pendant la magie sexuelle avec un partenaire. Cela peut inclure l'allumage de bougies, l'utilisation de cristaux ou l'incorporation d'autres objets sacrés dans la pratique. Créer un espace sacré pour la pratique peut améliorer l'expérience et ajouter à l'intention globale.

La gratitude est la pratique d'exprimer de l'appréciation pour ce que vous avez. Pratiquer la gratitude pendant la magie sexuelle avec un partenaire peut approfondir la connexion et améliorer le sentiment général de bien-être. Prendre le temps d'exprimer votre gratitude pour le partenaire, la relation et les expériences partagées ensemble peut ajouter à l'intention et créer une expérience plus profonde.

En conclusion, pratiquer la magie sexuelle avec un partenaire peut être un outil puissant pour approfondir votre connexion et manifester vos résultats souhaités. En fixant des intentions claires, en vous concentrant sur la connexion physique, en incorporant la stimulation sensorielle, la respiration et en approfondissant votre connexion spirituelle, vous pouvez améliorer votre sentiment général de bien-être et renforcer votre lien avec votre partenaire. N'oubliez pas de traiter ces pratiques avec respect, soin et pleine conscience. De plus, maintenez les lignes de communication ouvertes avec votre partenaire. Vous pouvez utiliser le pouvoir de la magie sexuelle pour améliorer votre relation et atteindre vos objectifs si vous la pratiquez de manière cohérente, avec patience et persévérance.

Communication et consentement dans la magie sexuelle en couple

Toute pratique sexuelle, y compris la magie sexuelle en couple, doit inclure le consentement et la communication. Il est nécessaire d'établir des limites claires, de communiquer honnêtement et ouvertement, et de respecter les préférences et les souhaits de chacun pour avoir une expérience enrichissante et sûre.

L'utilisation de l'énergie sexuelle pour obtenir les résultats souhaités et renforcer les relations entre partenaires est ce qu'on appelle la magie sexuelle en couple. Une communication approfondie, la vulnérabilité et la confiance sont nécessaires pour cela. En abordant la magie sexuelle en couple avec respect, soin et pleine conscience, vous pouvez créer un espace sûr et émancipateur pour l'exploration et la manifestation.

Voici quelques considérations importantes concernant la communication et le consentement dans la magie sexuelle en couple:

Avant de s'engager dans une activité sexuelle quelconque, il est important d'établir des limites claires avec votre partenaire. Cela inclut discuter de ce avec quoi vous êtes à l'aise, de ce avec quoi vous n'êtes pas à l'aise et de ce que vous aimeriez explorer ensemble. En définissant des limites claires, vous pouvez vous assurer que les deux partenaires se sentent en sécurité et respectés tout au long de l'expérience.

La communication ouverte et honnête est la clé d'une pratique réussie de la magie sexuelle en couple. Il est important de partager vos pensées, vos sentiments et vos désirs avec votre partenaire, et d'écouter leurs besoins et leurs préférences. En communiquant ouvertement et honnêtement, vous pouvez établir un niveau de confiance profond et créer une base solide pour la pratique.

Le consentement actif signifie que les deux partenaires acceptent activement de s'engager dans une activité sexuelle. Cela implique de vérifier régulièrement l'un avec l'autre tout au long de l'expérience et de s'assurer que les deux partenaires se sentent à l'aise et donnent leur consentement. Il est important de respecter les limites de chacun et d'arrêter ou d'ajuster la pratique si l'un des partenaires n'est pas à l'aise.

Chaque partenaire a ses propres souhaits et préférences en ce qui concerne l'activité sexuelle. Il est important de respecter les limites de chacun et d'éviter de presser ou de contraindre votre partenaire à faire quelque chose qui ne lui convient pas. En respectant les souhaits et les préférences de chacun, vous pouvez créer un espace sûr et émancipateur pour l'exploration et la manifestation.

Créer un espace sûr et sacré est essentiel pour la magie sexuelle en couple. Cela peut inclure l'allumage de bougies, la diffusion de musique apaisante ou l'incorporation d'autres éléments rituels dans la pratique. En créant un espace sûr et sacré, vous pouvez approfondir la connexion entre les partenaires et améliorer la manifestation des résultats souhaités.

Après la pratique, prenez le temps de débriefer et de réfléchir à l'expérience avec votre partenaire. Discutez de ce qui s'est bien passé, de ce qui pourrait être amélioré et de la manière dont vous pouvez continuer à approfondir votre connexion et votre intention dans les pratiques futures. En réfléchissant à l'expérience, vous pouvez apprendre l'un de l'autre et renforcer votre pratique au fil du temps.

La magie sexuelle en couple peut susciter une gamme d'émotions pour les deux partenaires. Il est important de vérifier émotionnellement l'un avec l'autre et de fournir un soutien émotionnel en cas de besoin. En se soutenant mutuellement sur le plan émotionnel, vous pouvez approfondir votre connexion et améliorer l'expérience globale.

Chaque partenaire a ses propres limites en ce qui concerne l'activité sexuelle. Il est important de respecter les limites de chacun et d'éviter de pousser l'autre au-delà de ce qui est confortable. En respectant les limites de chacun, vous pouvez créer un espace sûr et émancipateur pour l'exploration et la manifestation.

Les mots de sécurité sont un élément crucial de la magie sexuelle en couple. Ce sont des mots convenus par les deux partenaires avant la pratique et qui sont utilisés pour communiquer lorsque l'un des partenaires a atteint sa limite ou est mal à l'aise avec une certaine activité. En utilisant des mots de sécurité, vous pouvez vous assurer que les deux partenaires se sentent en sécurité et respectés tout au long de l'expérience.

La magie sexuelle en couple est une pratique collaborative qui devrait se concentrer sur le plaisir et la connexion mutuels. Il est important de prioriser les besoins et les désirs des deux partenaires et de communiquer ouvertement sur ce qui procure du plaisir et ce qui ne le fait pas. En mettant l'accent sur le plaisir mutuel, vous pouvez approfondir la connexion entre les partenaires et améliorer l'expérience globale.

La magie sexuelle en couple nécessite un niveau élevé de vulnérabilité et de confiance entre les partenaires. Il est important d'embrasser cette vulnérabilité et d'aborder la pratique avec un esprit et un cœur ouverts. En embrassant la vulnérabilité, vous pouvez approfondir la connexion entre les partenaires et améliorer la manifestation des résultats souhaités.

Se connecter avec votre partenaire avant et après la pratique est un élément important de la magie sexuelle en couple. Cela peut inclure se tenir la main, se blottir ou participer à d'autres activités non sexuelles qui approfondissent la connexion entre les partenaires. En prenant le temps de vous connecter avant et après la pratique, vous pouvez améliorer l'expérience globale et approfondir la connexion entre les partenaires.

En conclusion, la communication et le consentement sont des composantes essentielles de la magie sexuelle en couple. En établissant des limites claires, en communiquant ouvertement et honnêtement, en pratiquant le consentement actif, en respectant les souhaits et les préférences de chacun, en créant un espace sûr et sacré, en débriefant et en réfléchissant sur l'expérience, en vérifiant les émotions l'un de l'autre, en utilisant des mots de sécurité, en se concentrant sur le plaisir mutuel, en embrassant la vulnérabilité et en prenant le temps de se connecter avant et après la pratique, vous pouvez créer un espace sûr et émancipateur pour l'exploration et la manifestation. Souvenez-vous d'aborder la magie sexuelle en couple avec respect, soin et attention, et de communiquer ouvertement avec votre partenaire tout au long du processus. Avec constance, patience et persévérance, vous pouvez exploiter le pouvoir de la magie sexuelle pour approfondir votre connexion avec votre partenaire et atteindre les résultats souhaités.

Techniques pour renforcer l'intimité et la connexion par la magie sexuelle

La magie sexuelle est un outil puissant pour renforcer l'intimité et la connexion entre les partenaires. En utilisant l'énergie sexuelle et l'intention, les couples peuvent approfondir leur lien et manifester leurs désirs. Voici quelques techniques pour renforcer l'intimité et la connexion grâce à la magie sexuelle :

Le toucher conscient implique d'utiliser le toucher pour se connecter avec votre partenaire à un niveau plus profond. Cela peut inclure se tenir la main, offrir un massage ou explorer intentionnellement le corps de l'autre. En abordant le toucher avec présence et conscience, vous pouvez approfondir la connexion entre les partenaires et améliorer la manifestation des résultats souhaités.

Le regard dans les yeux est une technique puissante pour approfondir l'intimité et la connexion entre les partenaires. Cela implique de s'asseoir face à face et de se regarder dans les yeux sans parler. En maintenant un contact visuel, les partenaires peuvent se connecter à un niveau profond et exploiter le pouvoir de l'énergie sexuelle et de l'intention.

Les exercices de respiration sont une manière efficace de se connecter avec votre partenaire et d'amplifier le pouvoir de la magie sexuelle. Cela peut inclure la respiration synchronisée, où les partenaires respirent ensemble, ou des exercices de respiration profonde qui se concentrent sur l'expansion des poumons et l'augmentation du flux d'oxygène vers le corps. En synchronisant votre respiration avec celle de votre partenaire, vous pouvez approfondir votre connexion et améliorer la manifestation des résultats souhaités.

La visualisation est une technique puissante pour améliorer la manifestation des résultats souhaités en magie sexuelle. Cela implique de visualiser le résultat souhaité avec intention et clarté tout en participant à une activité sexuelle avec votre partenaire. En vous concentrant sur le résultat souhaité et en le visualisant avec intensité, vous pouvez augmenter la puissance de l'énergie sexuelle et de la manifestation.

La guérison par le son consiste à utiliser le son pour améliorer la manifestation des résultats souhaités et approfondir la connexion entre les partenaires. Cela peut inclure l'utilisation de bols chantants, de carillons ou d'autres instruments de musique pour créer une atmosphère apaisante et harmonieuse. En intégrant la guérison par le son dans votre pratique de la magie sexuelle, vous pouvez renforcer la puissance de l'intention et créer une expérience plus significative et puissante.

Les rituels et les cérémonies peuvent être un moyen puissant d'améliorer l'intimité et la connexion en magie sexuelle. Cela peut inclure la création d'un espace sacré, l'allumage de bougies ou l'incorporation d'autres éléments rituels dans la pratique. En créant un rituel ou une cérémonie autour de votre pratique de la magie sexuelle, vous pouvez approfondir la connexion entre les partenaires et améliorer la manifestation des résultats souhaités.

Les affirmations sont un outil puissant pour améliorer l'intimité et la connexion en magie sexuelle. Cela implique d'utiliser des affirmations et des déclarations positives pour renforcer le résultat souhaité et amplifier la puissance de l'intention. En répétant des affirmations avec votre partenaire pendant l'activité sexuelle, vous pouvez améliorer la manifestation des résultats souhaités et approfondir votre connexion mutuelle.

Le réglage de l'intention est un aspect fondamental de la magie sexuelle. Cela implique d'avoir un objectif spécifique en tête pour le résultat souhaité et de le garder à l'esprit tout en participant à une activité sexuelle avec votre partenaire. Vous pouvez améliorer la manifestation des résultats souhaités et renforcer votre relation avec votre partenaire en fixant un objectif clair et en y prêtant attention avec intention et clarté.

Le tantra est une pratique spirituelle qui utilise l'énergie sexuelle pour développer des états de conscience supérieurs et une relation plus étroite avec le divin. Vous pouvez améliorer la manifestation des résultats souhaités et renforcer votre relation avec votre partenaire en incorporant des pratiques tantriques dans vos rituels de magie sexuelle. La respiration, les postures de yoga et l'utilisation de mantras sont quelques-unes des techniques tantriques qui peuvent être intégrées à la magie sexuelle.

L'exploration sensorielle lors de l'activité sexuelle avec votre partenaire implique l'utilisation délibérée et consciente des cinq sens. Cela peut inclure l'incorporation d'odeurs, de goûts et de textures dans la pratique, ainsi que l'exploration de différentes positions et sensations. En se concentrant sur l'exploration sensorielle avec intention et conscience, vous pouvez approfondir votre connexion avec votre partenaire et améliorer la manifestation des résultats souhaités.

Le jeu de rôle et la fantaisie peuvent être une manière amusante et excitante d'améliorer l'intimité et la connexion en magie sexuelle. Cela peut impliquer l'exploration de différents rôles, scénarios et fantasmes avec votre partenaire pour approfondir votre connexion et améliorer la manifestation des résultats souhaités. En s'engageant dans le jeu de rôle et la fantaisie avec intention et conscience, vous pouvez puiser dans le pouvoir de l'énergie sexuelle et améliorer votre connexion avec votre partenaire.

Les pratiques de kink et de BDSM peuvent être incorporées dans la magie sexuelle pour améliorer l'intimité et la connexion entre les partenaires. Cela implique d'explorer les dynamiques de pouvoir, les fétiches et autres formes de jeu kinky avec intention et conscience. En s'engageant dans le kink et le BDSM avec une communication claire et un consentement, les partenaires peuvent approfondir leur connexion et améliorer la manifestation des résultats souhaités.

L'intimité non sexuelle est un aspect important pour renforcer la connexion et l'intimité en magie sexuelle. Cela peut impliquer de passer du temps de qualité ensemble, d'engager des conversations significatives et d'exprimer l'amour et l'affection l'un envers l'autre en dehors de l'activité sexuelle. En construisant une base solide d'intimité non sexuelle, les partenaires peuvent approfondir leur connexion et améliorer la manifestation des résultats souhaités dans leur pratique de la magie sexuelle.

La connexion par le toucher consiste à utiliser le toucher comme moyen de renforcer la connexion et d'améliorer l'intimité entre les partenaires. Cela peut inclure les câlins, les étreintes ou se tenir la main, ainsi que l'incorporation du toucher dans l'activité sexuelle avec intention et conscience. En se concentrant sur le toucher avec présence et conscience, les partenaires peuvent approfondir leur connexion et améliorer la manifestation des résultats souhaités en magie sexuelle.

La communication et le consentement sont des éléments essentiels pour améliorer l'intimité et la connexion en magie sexuelle. Cela implique une communication claire et ouverte sur les désirs, les limites et les intentions, ainsi que l'obtention du consentement avant de s'engager dans une activité ou une exploration sexuelle. En donnant la priorité à la communication et au consentement, les partenaires peuvent approfondir leur connexion et créer un espace sûr et consensuel pour pratiquer la magie sexuelle.

En conclusion, la magie sexuelle peut être un outil puissant pour améliorer l'intimité et la connexion entre les partenaires. En intégrant des techniques telles que le toucher attentif, le regard dans les yeux, les exercices de respiration, la visualisation, la guérison par le son, les rituels et les cérémonies, les affirmations, le réglage de l'intention, le tantra, l'exploration sensorielle, le jeu de rôle et la fantaisie, le kink et le BDSM, l'intimité non sexuelle, la connexion par le toucher, et la communication et le consentement, les couples peuvent approfondir leur connexion et améliorer la manifestation des résultats souhaités dans leur pratique de la magie sexuelle. Il est important d'aborder la magie sexuelle avec intention et conscience, et de donner la priorité à la communication et au consentement pour créer un espace sûr et consensuel pour l'exploration et la manifestation.

Chapitre 7

Magie sexuelle en groupe

Explication de la magie sexuelle en groupe

La magie sexuelle en groupe est une pratique puissante et transformative qui implique de canaliser l'énergie sexuelle et l'intention collective d'un groupe de personnes pour manifester des résultats souhaités. C'est un outil puissant pour approfondir la connexion et améliorer l'intimité entre les partenaires, ainsi que pour créer un sentiment de communauté et d'intention partagée.

Au cœur de la magie sexuelle en groupe se trouvent les mêmes principes de base que la magie sexuelle en solo ou en couple : la combinaison de l'énergie sexuelle et de l'intention pour manifester des résultats souhaités. Cependant, dans un cadre de groupe, l'énergie sexuelle et l'intention sont amplifiées par la présence de plusieurs personnes, créant une expérience puissante et transformative.

Un des principaux avantages de la magie sexuelle en groupe est le sentiment de communauté et d'intention partagée qu'elle crée. En se réunissant avec d'autres pour pratiquer cette méthode, les individus peuvent ressentir un sentiment d'appartenance et de but partagé, ce qui peut améliorer la manifestation des résultats souhaités.

La magie sexuelle en groupe peut prendre de nombreuses formes, en fonction des préférences et du niveau de confort des participants. Voici quelques formes courantes de magie sexuelle en groupe :

Les rituels et les cérémonies sont une forme courante de magie sexuelle en groupe, car ils offrent un espace structuré et intentionnel pour que les individus se réunissent et manifestent leurs désirs. Cela peut inclure la création d'un espace sacré, l'allumage de bougies ou d'encens, et l'intégration d'autres éléments rituels dans la pratique.

Les méditations de groupe sont une autre forme puissante de magie sexuelle en groupe, car elles permettent aux individus de synchroniser leur respiration et leur intention pour créer un champ d'énergie collectif. Cela peut impliquer de s'asseoir en cercle et de méditer ensemble, ou de pratiquer d'autres formes de méditation ou de visualisation collective.

L'activité sexuelle partagée est une autre forme de magie sexuelle en groupe, dans laquelle les individus s'engagent dans des activités sexuelles les uns avec les autres tout en se concentrant sur une intention ou un résultat désiré commun. Cela peut impliquer un certain nombre d'activités sexuelles, notamment la masturbation, le sexe oral ou les rapports sexuels.

Le massage en groupe est une forme non sexuelle de magie sexuelle en groupe, dans laquelle les individus se relaient pour donner et recevoir des massages tout en se concentrant sur une intention ou un résultat désiré commun. Cela peut être un moyen puissant de se connecter avec les autres et d'améliorer la manifestation des résultats souhaités.

Les pratiques de danse ou de mouvement peuvent également être une forme puissante de magie sexuelle en groupe, car elles permettent aux individus de synchroniser leurs mouvements et leur intention pour créer un champ d'énergie collectif. Cela peut impliquer de danser ensemble, de pratiquer le yoga ou d'autres formes de mouvement corporel.

Quelle que soit la forme que prend la magie sexuelle en groupe, il existe plusieurs principes clés importants à garder à l'esprit :

La communication claire et le consentement sont des composants essentiels de la magie sexuelle en groupe. Il est important d'avoir une communication ouverte et honnête sur les désirs, les limites et les intentions, et d'obtenir le consentement avant de s'engager dans toute activité sexuelle ou exploration.

Respecter les limites est également important dans la magie sexuelle en groupe. Il est nécessaire de respecter les limites et les zones de confort des autres personnes, ainsi que leurs préférences et leurs choix.

Un objectif commun ou un résultat souhaité doit être établi pour que la magie sexuelle en groupe fonctionne. Il est important d'avoir une intention à la fois claire et précise à laquelle tous les participants sont engagés.

Pour que la magie sexuelle en groupe fonctionne, un environnement sécurisé et consensuel est crucial. Cela peut impliquer d'établir des limites et des règles pour la pratique, ainsi que de créer une atmosphère sûre et encourageante pour l'exploration et la manifestation.

En conclusion, la magie sexuelle en groupe est une pratique forte et transformationnelle qui peut accroître l'intimité et la connexion entre les partenaires, ainsi que favoriser un sentiment de communauté et de but partagé. En participant à des rituels et des cérémonies, des méditations de groupe, des activités sexuelles partagées, des massages en groupe, des danses ou des pratiques de mouvement collectif, ou d'autres formes d'exploration collective, les individus peuvent puiser dans l'énergie sexuelle et l'intention collective du groupe pour manifester leurs résultats souhaités. Cependant, il est important d'aborder la magie sexuelle en groupe avec une communication claire, le respect des limites, une intention partagée et un espace sûr et consensuel pour garantir une expérience transformative et positive.

Un autre avantage de la magie sexuelle en groupe est le sentiment d'autonomisation et de libération qu'elle peut procurer. En se réunissant avec d'autres pour explorer leur énergie sexuelle et leur intention, les individus peuvent briser les tabous et les restrictions sociaux autour de la sexualité, et récupérer leur pouvoir et leur agence.

De plus, la magie sexuelle en groupe peut être une expérience transformative pour les personnes qui ont pu vivre des traumatismes ou de la honte liée à leur sexualité. En pratiquant cela dans un environnement sûr et favorable, les individus peuvent commencer à guérir et à transformer leur relation avec leur sexualité et leur corps.

Cependant, il est important de noter que la magie sexuelle en groupe ne convient pas à tout le monde, et tous les individus peuvent ne pas se sentir à l'aise ou intéressés à participer à ce type de pratique. Il est important de respecter les choix et les limites des individus, et de veiller à ce que tous les participants s'engagent dans la pratique avec une communication claire et un consentement.

En résumé, la magie sexuelle en groupe est une pratique puissante et transformative qui implique de mobiliser l'énergie sexuelle et l'intention collective d'un groupe de personnes pour manifester des résultats souhaités. En participant à des rituels et des cérémonies, des méditations de groupe, des activités sexuelles partagées, des massages en groupe, des danses ou des pratiques de mouvement collectif, ou d'autres formes d'exploration collective, les individus peuvent approfondir leur connexion et améliorer la manifestation de leurs résultats souhaités. Cependant, il est important d'aborder la magie sexuelle en groupe avec une communication claire, le respect des limites, une intention partagée et un espace sûr et consensuel pour garantir une expérience positive et transformative.

Les avantages et les défis de la magie sexuelle en groupe

La magie sexuelle est une pratique qui est utilisée depuis des siècles pour exploiter le pouvoir de l'énergie sexuelle et de l'intention afin de manifester des résultats souhaités. Alors que de nombreuses personnes peuvent pratiquer la magie sexuelle seules ou avec un partenaire, il est également possible d'explorer cette pratique en groupe. La magie sexuelle en groupe implique de mobiliser l'énergie sexuelle et l'intention collective d'un groupe de personnes pour manifester des résultats souhaités. Cela peut être un outil puissant pour approfondir la connexion, améliorer l'intimité et créer un sentiment de communauté et d'intention partagée. Cependant, comme toute pratique, la magie sexuelle en groupe présente à la fois des avantages et des défis dont les individus devraient être conscients avant de s'engager dans ce type d'exploration.

L'un des principaux avantages de la magie sexuelle en groupe est l'énergie sexuelle amplifiée qui peut être générée par la présence de plusieurs personnes. Cela peut produire une expérience forte et transformative qui renforce les liens et facilite la manifestation des résultats souhaités. Plusieurs participants peuvent augmenter la possibilité d'explorer un éventail plus large d'activités sexuelles et permettre l'introduction de différentes énergies dans la pratique.

De plus, la magie sexuelle en groupe peut favoriser un sentiment d'unité et d'intention partagée, ce qui peut améliorer la manifestation des résultats souhaités. Les individus peuvent ressentir un sentiment d'appartenance et de but partagé en s'unissant à d'autres pour participer à cette pratique, ce qui peut être émancipateur et transformateur. Avoir la possibilité de se connecter avec des personnes ayant des intérêts et des objectifs similaires peut être particulièrement utile pour les personnes qui se sentent seules ou déconnectées dans leur vie quotidienne.

La magie sexuelle en groupe peut également accroître la conscience de soi et aider les individus à mieux comprendre leurs propres désirs, limites et préférences. En pratiquant cela dans un environnement sûr et consensuel, les individus peuvent explorer leur sexualité et approfondir leur compréhension d'eux-mêmes et de leur corps. La présence de plusieurs personnes peut également offrir des opportunités pour explorer différents aspects de sa sexualité et de ses désirs, et peut aider à identifier des préférences ou des limites inconnues jusqu'alors.

La magie sexuelle en groupe peut également être un puissant outil de guérison et de transformation, en particulier pour les individus qui ont pu vivre des traumatismes ou de la honte liés à leur sexualité. En pratiquant cela dans un environnement sûr et favorable, les individus peuvent commencer à guérir et à transformer leur relation avec leur sexualité et leur corps. La présence d'un groupe de personnes solidaires et partageant les mêmes idées peut fournir une puissante source d'énergie de guérison et peut créer un espace pour explorer et traiter les émotions difficiles liées à la sexualité.

La communication claire et le consentement sont des composantes essentielles de la magie sexuelle en groupe. Gérer ces discussions et s'assurer que tout le monde est à l'aise et en accord avec les objectifs de la pratique peut être difficile. Il est nécessaire de veiller à ce que tous les participants soient d'accord en ce qui concerne les limites, les préférences et les résultats souhaités lorsque plusieurs individus sont impliqués.

Respecter les limites est également important dans la magie sexuelle en groupe. Être attentif aux zones de confort et aux limites des autres peut être difficile, surtout dans une situation de groupe où différentes personnes peuvent avoir des préférences et des limitations différentes. Il est important d'établir un environnement sûr et mutuellement acceptable où chacun se sent libre de communiquer ses besoins et ses limites.

Il peut être difficile de formuler une intention commune ou un résultat souhaité dans la magie sexuelle en groupe. S'assurer que tous les participants se concentrent sur le même objectif et sont en accord avec le but de la pratique peut être un défi. Cela nécessite une communication claire et une volonté de travailler en collaboration avec les autres pour créer une vision partagée de la pratique.

Comme les participants peuvent explorer des désirs, des peurs et des insécurités plus profonds, la magie sexuelle en groupe peut également les placer dans un état émotionnel vulnérable. Ces sentiments peuvent être amplifiés par la présence de plusieurs personnes, ce qui peut conduire à un sentiment d'exposition et de vulnérabilité. Les participants doivent se sentir en sécurité et soutenus tout en exprimant et en traitant ces émotions, et le groupe doit veiller à créer un environnement encourageant l'exploration émotionnelle et la guérison.

Dans la magie sexuelle en groupe, les dynamiques de groupe peuvent également poser un problème. La présence de plusieurs individus peut entraîner des dynamiques sociales compliquées à naviguer. Si des relations établies ou des dynamiques de pouvoir existent au sein du groupe, cela peut être particulièrement difficile. Il est important de créer un espace sûr et équitable où tous les participants se sentent respectés et valorisés.

La sécurité et les risques sont des considérations importantes dans la magie sexuelle en groupe. Avec plus de participants impliqués, il existe un risque plus élevé de préjudices physiques et psychologiques. Il est essentiel d'établir un environnement sécurisé et mutuellement acceptable où chacun se sent libre de communiquer sur ses besoins et ses limites. Il est nécessaire de prendre conscience des risques possibles liés à la participation à ce comportement, tels que les infections sexuellement transmissibles, et de prendre les précautions nécessaires pour réduire ces risques.

En conclusion, la magie sexuelle en groupe a le potentiel d'être un puissant outil pour favoriser la communauté, un objectif partagé et une intimité accrue. Avant de participer à cette pratique, il est crucial que les individus soient conscients à la fois de ses avantages et de ses inconvénients. La communication claire, le consentement et le respect des limites sont des composantes essentielles de la magie sexuelle en groupe, tout comme la création d'un espace sûr et consensuel où tous les participants se sentent à l'aise d'exprimer leurs désirs et d'explorer leur sexualité. La magie sexuelle en groupe peut être une pratique transformative et émancipatrice qui peut améliorer la connaissance de soi et sa place dans le monde si ces facteurs sont pris en compte.

Techniques pour pratiquer la magie sexuelle en groupe

La magie sexuelle en groupe est un outil efficace pour accroître l'intimité, renforcer les liens et favoriser un sentiment de communauté et d'objectif commun. Plusieurs individus participent à la pratique consistant à utiliser l'énergie sexuelle pour manifester des objectifs et des désirs. Mais il est crucial de gérer cette pratique avec respect, attention et conscience des risques et des difficultés qu'elle peut présenter. Cette section abordera certaines techniques de magie sexuelle en groupe ainsi que des idées pour mettre en place un environnement sûr et basé sur le consentement.

Établir des intentions et des limites claires avant de pratiquer la magie sexuelle en groupe est l'une des techniques les plus essentielles. Cela implique de créer une compréhension partagée de ce que le groupe espère accomplir grâce à la pratique, ainsi que des intentions personnelles et des limites de chaque individu. Cela peut se faire par le biais d'une discussion animée ou par le biais de réflexions individuelles et de partages.

Il est important que tous les participants se sentent à l'aise pour exprimer leurs limites et leurs désirs, et que le groupe respecte ces limites tout au long de la pratique. Cela peut impliquer d'établir des limites physiques, telles que le respect de l'espace personnel et d'éviter tout contact physique sans consentement, ainsi que des limites émotionnelles, telles que le respect des sentiments de chacun et l'abstention de jugement ou de critique.

Créer un espace sacré est un aspect important de la magie sexuelle en groupe, car il contribue à établir un sentiment de sécurité, d'intention et de concentration. Cela peut impliquer la mise en place d'un autel ou d'objets sacrés, l'utilisation de bougies ou d'encens pour créer une ambiance, ou l'incorporation de musique ou de chants pour créer une atmosphère méditative.

Il est important de créer un espace qui soit sûr et confortable pour tous les participants, et de tenir compte de tout déclencheur potentiel ou sensibilité. Cela peut impliquer de discuter de tout besoin ou demande spécifique avec le groupe au préalable, et d'ajuster l'espace ou la pratique en conséquence.

Le rituel est un aspect important de la magie sexuelle en groupe, car il contribue à créer un sentiment d'intention et de concentration. Cela peut impliquer la création d'une structure rituelle spécifique, telle que l'incorporation de mouvements ou d'actions spécifiques, ou l'utilisation de symboles ou d'objets spécifiques pour représenter les intentions et les désirs du groupe.

Le groupe peut également participer à un exercice de visualisation collective, où chaque membre du groupe visualise le résultat souhaité et canalise son énergie sexuelle vers cette intention. Cela peut impliquer une respiration synchronisée, des chants ou des mouvements, pour créer un sentiment de concentration et d'intention collective.

Le partage de l'énergie sexuelle est un aspect central de la magie sexuelle en groupe, car il implique d'utiliser le pouvoir de l'énergie sexuelle pour manifester des intentions et des désirs. Cela peut impliquer de s'engager dans une activité sexuelle avec un ou plusieurs partenaires, ou simplement de canaliser l'énergie sexuelle à travers la visualisation et la concentration.

Il est important d'établir des limites claires et un consentement avant de s'engager dans toute activité sexuelle, et de veiller à respecter le confort et les limites de chaque individu tout au long de la pratique. Cela peut impliquer l'utilisation de pratiques de sexe sécuritaire, telles que l'utilisation de préservatifs et des tests réguliers pour les infections sexuellement transmissibles, ainsi que la prise en compte de toute dynamique de pouvoir potentielles ou de déséquilibres au sein du groupe.

Après que la pratique est terminée, il est important de faire un bilan et d'intégrer l'expérience. Cela peut impliquer de discuter des informations ou des expériences qui sont apparues pendant la pratique, ainsi que de partager les émotions ou les sensations qui ont été ressenties.

La communication attentive est un aspect important de la pratique de la magie sexuelle en groupe, car cela implique d'être présent et attentif aux besoins et aux limites de chaque individu dans le groupe. Cela peut impliquer l'utilisation de compétences d'écoute active, telles que refléter ce que quelqu'un a dit, poser des questions ouvertes et être présent dans le moment.

Il est important d'être conscient de toute dynamique de pouvoir ou de déséquilibre au sein du groupe, et de créer un espace qui soit sûr et confortable pour tous les participants. Cela peut impliquer d'être conscient de tout déclencheur potentiel ou de toute sensibilité, et d'ajuster la pratique en conséquence.

La respiration consciente est une technique puissante pour améliorer l'expérience de la magie sexuelle en groupe, car elle permet de connecter le corps et l'esprit et de créer une sensation de relaxation et de concentration. Cela peut impliquer la pratique d'exercices de respiration synchronisée, comme inhaler et exhaler ensemble, ou l'incorporation de techniques spécifiques de respiration, telles que la respiration circulaire ou le pranayama.

La respiration consciente peut aider à améliorer l'expérience du partage de l'énergie sexuelle, car elle aide à réguler et à canaliser le flux d'énergie à travers le corps. De plus, elle peut favoriser un sentiment de connexion et de profonde relaxation au sein du groupe.

Une autre méthode pour améliorer l'expérience de la magie sexuelle en groupe est la méditation guidée, qui aide à établir un sentiment de concentration et d'intention. Cela pourrait impliquer qu'un animateur guide le groupe à travers une pratique de visualisation ou l'utilisation d'une méditation préenregistrée.

Étant donné que tout le monde dans le groupe se concentre sur la même visualisation ou le même objectif pendant la méditation guidée, cela peut aider à développer un sentiment de communauté. Comme cela crée une sensation de concentration et d'intention partagée, cela peut également contribuer à approfondir l'expérience du partage de l'énergie sexuelle.

Le toucher est un élément crucial de la magie sexuelle en groupe car il crée de l'intimité et de la connexion entre les participants.

Cela peut impliquer l'utilisation d'un toucher doux, comme se tenir la main ou poser une main sur l'épaule de quelqu'un, ou l'incorporation d'un toucher plus intime, comme un massage ou un toucher sensuel.

Il est important d'être attentif aux limites et au niveau de confort de chaque individu, et d'établir un consentement et des limites claires avant d'engager tout contact. L'incorporation du toucher peut aider à créer un sentiment de confiance et d'intimité au sein du groupe, et améliorer l'expérience du partage de l'énergie sexuelle.

En conclusion, la magie sexuelle en groupe est une pratique puissante pour améliorer l'intimité, approfondir les connexions et créer un sentiment de communauté et d'intention partagée. La communication attentive, la respiration consciente, la méditation guidée, l'incorporation du toucher et d'autres techniques peuvent aider à améliorer l'expérience de la magie sexuelle en groupe et créer un espace sûr et consensuel. Il est important d'aborder cette pratique avec respect et soin, et d'établir des intentions et des limites claires avant de commencer.

Chapitre 8

Erreurs et défis courants
en magie sexuelle

Aperçu des erreurs courantes commises par les débutants en magie sexuelle

La magie sexuelle est une pratique puissante qui est utilisée depuis des siècles pour améliorer la spiritualité, améliorer la santé mentale et physique, et approfondir les liens avec les autres. Pour éviter de commettre des erreurs courantes qui pourraient entraîner des expériences ou des résultats désagréables, il est crucial d'aborder cette pratique avec prudence et information, tout comme vous le feriez avec n'importe quelle autre pratique. Cette section donnera un aperçu des erreurs fréquentes commises par les débutants en magie sexuelle, ainsi que des conseils sur la manière de les éviter et d'améliorer la pratique en général.

Un manque de planification est l'une des erreurs les plus courantes commises par les débutants en magie sexuelle. Cela pourrait inclure le fait de ne pas établir un environnement sacré et sécurisé, de négliger de fixer des intentions claires ou de lutter pour communiquer efficacement avec des partenaires ou des membres du groupe.

Il est important de vous donner suffisamment de temps pour vous préparer mentalement et physiquement à la pratique afin d'éviter de commettre une telle erreur. Cela peut impliquer de réserver du temps et de l'espace pour la pratique, de créer un environnement confortable et relaxant, et de fixer des intentions claires pour l'expérience.

Un manque de connaissance ou d'éducation est une autre erreur courante commise par les novices en magie sexuelle. Cela peut inclure l'omission d'études ou d'apprentissage sur diverses techniques ou approches, ainsi que l'omission de comprendre les principes fondamentaux sous-jacents à la pratique.

Apprenez la magie sexuelle, ses principes, son histoire et les nombreuses méthodes et pratiques qui sont fréquemment utilisées afin d'éviter de commettre cette erreur. Cela peut inclure la lecture de livres, la participation à des ateliers ou à des cours, ou demander des conseils à un praticien expérimenté.

Un manque de concentration ou d'intention est une autre erreur courante commise par les novices en magie sexuelle. Cela peut impliquer de commencer la pratique sans intentions ou objectifs spécifiques, ou de ne pas maintenir une mentalité concentrée et présente tout au long du processus.

Pour éviter cette erreur, il est important de fixer des intentions claires pour la pratique et de maintenir une mentalité concentrée et présente tout au long du processus. Cela peut impliquer l'utilisation de la méditation, du travail sur la respiration ou d'autres techniques pour rester présent et centré.

La communication et le consentement sont des aspects cruciaux de la magie sexuelle, en particulier lorsqu'on pratique avec un partenaire ou un groupe. Une erreur courante que font les débutants est de ne pas communiquer efficacement ou de ne pas établir de limites claires ou de consentement avant de se lancer dans la pratique.

Pour éviter cette erreur, il est important de communiquer ouvertement et honnêtement avec les partenaires ou les membres du groupe, et d'établir des limites claires et un consentement avant de s'engager dans toute activité sexuelle. Il est également important d'être conscient des dynamiques de pouvoir ou des déséquilibres au sein du groupe, et de créer un espace sûr et consensuel pour tous les participants.

Une autre erreur courante que font les débutants en magie sexuelle est de l'utiliser comme substitut à une thérapie ou à un traitement médical. Bien que la magie sexuelle puisse être un outil puissant pour améliorer la santé mentale et physique, elle ne doit pas être utilisée comme un substitut à un traitement médical ou psychologique professionnel.

Pour éviter de commettre cette erreur, il est crucial de considérer la magie sexuelle comme une pratique complémentaire et, si nécessaire, de rechercher un traitement médical ou psychologique professionnel.

Négliger ses limites et ses propres besoins est une autre erreur courante des novices en magie sexuelle. Cela peut impliquer de commencer la pratique sans être suffisamment préparé émotionnellement ou physiquement, de ne pas établir de limites claires ou de ne pas participer à des rituels d'auto-soin.

Accorder la priorité à l'auto-soin et établir des limites claires avant de s'engager dans toute activité sexuelle vous aidera à éviter de commettre cette erreur. Cela peut impliquer de fixer des limites claires en ce qui concerne le contact physique ou d'autres actes intimes, ainsi que de s'engager dans des pratiques d'auto-soin comme la méditation de pleine conscience.

Négliger l'auto-réflexion et l'assimilation est une autre erreur que commettent les novices en magie sexuelle. Cela peut impliquer de pratiquer sans prendre le temps de réfléchir à l'expérience ou d'intégrer les idées ou les apprentissages dans la vie quotidienne.

Pour éviter cette erreur, il est important de prendre le temps de réfléchir à l'expérience de la magie sexuelle et d'intégrer les idées ou les apprentissages dans la vie quotidienne. Cela peut impliquer la tenue d'un journal, la méditation ou d'autres formes d'auto-réflexion et d'intégration.

Une autre erreur courante que font les débutants en magie sexuelle est de chercher des résultats immédiats ou d'attendre la perfection. Cela peut impliquer de s'engager dans la pratique avec des attentes irréalistes ou de mettre trop de pression sur l'expérience.

Pour éviter cette erreur, il est important d'aborder la magie sexuelle avec un sentiment d'ouverture et de curiosité, et de laisser de côté toute attente ou préconception concernant l'expérience. Il est également important de faire preuve de patience et de compassion envers soi-même, et de permettre à la pratique de se dérouler en son propre temps.

Le manque de conscience de soi ou de maîtrise émotionnelle est une autre erreur fréquente chez les débutants en magie sexuelle. Sans être conscient de son propre état émotionnel ou de sa capacité à contrôler ses émotions, cela peut entraîner l'engagement dans la pratique.

Il est essentiel de développer la conscience de soi et le contrôle émotionnel avant d'utiliser la magie sexuelle afin d'éviter de commettre cette erreur. Pour améliorer ces compétences, cela peut impliquer l'utilisation de techniques telles que la pleine conscience, la thérapie ou la méditation.

Enfin, les débutants en magie sexuelle oublient souvent de se réjouir et d'apprécier l'expérience. Cela peut impliquer de mettre trop de stress sur le résultat ou de ne pas apprécier le processus.

Pour éviter de commettre cette erreur, il est essentiel de garder à l'esprit que la magie sexuelle tourne en fin de compte autour de la création de connexions transformantes avec soi-même et avec les autres. En célébrant et en savourant l'expérience, les débutants peuvent approfondir leur connexion avec eux-mêmes et avec les autres, et améliorer les avantages globaux de la pratique.

En conclusion, la magie sexuelle peut être une pratique puissante et transformative, mais il est important de l'aborder avec connaissance, soin et respect. Les débutants peuvent améliorer les effets globaux de la magie sexuelle et renforcer leur connexion avec eux-mêmes et avec les autres en évitant ces erreurs courantes et en se concentrant sur la création d'une expérience sûre, consensuelle et transformative.

Les défis qui peuvent survenir pendant la magie sexuelle et comment les surmonter

La magie sexuelle est une pratique puissante et transformative qui peut améliorer les relations des individus avec eux-mêmes et avec les autres. Cependant, comme toute pratique, la magie sexuelle peut présenter des difficultés qui limitent son efficacité ou entraînent des expériences désagréables. Dans cette section, nous examinerons quelques problèmes courants pouvant survenir lors de la pratique de la magie sexuelle et proposerons des solutions.

L'un des défis les plus importants pouvant se poser lors de la magie sexuelle est le manque de communication et de consentement. Cela peut impliquer de s'engager dans la pratique sans communiquer clairement ses intentions ou sans obtenir le consentement de toutes les parties impliquées.

Pour surmonter ce défi, il est essentiel de donner la priorité à la communication et au consentement dans la magie sexuelle. Cela peut impliquer de discuter des limites, des désirs et des intentions avec toutes les parties impliquées avant de commencer la pratique. Il est également important de vérifier régulièrement avec soi-même et ses partenaires tout au long de l'expérience pour s'assurer que tout le monde est à l'aise et donne son consentement.

Un autre défi courant pouvant survenir lors de la magie sexuelle est la difficulté à se concentrer ou à rester présent. Cela peut impliquer d'être distrait par des facteurs externes, tels que le bruit ou l'inconfort, ou par des facteurs internes, tels que des pensées obsédantes ou de l'anxiété.

Pour surmonter ce défi, il peut être utile de pratiquer la pleine conscience ou la méditation avant de s'engager dans la magie sexuelle. Cela peut aider les individus à cultiver un sentiment de concentration et de présence qui peut se refléter dans la pratique. De plus, se concentrer sur la respiration ou les sensations corporelles pendant la magie sexuelle peut aider les individus à rester ancrés et présents dans le moment présent.

Le doute de soi ou les pensées négatives peuvent également constituer un défi important lors de la pratique de la magie sexuelle. Cela peut impliquer des pensées négatives ou des croyances nuisibles sur soi-même ou sur la pratique, ce qui peut entraver la capacité à s'engager pleinement dans l'expérience.

Pour surmonter ce défi, il est important de cultiver un sentiment d'auto-compassion et d'acceptation de soi. Cela peut impliquer la pratique de techniques telles que les affirmations positives ou la modification de la manière dont on se parle à soi-même. Travailler avec un thérapeute ou un coach peut également aider à aborder les problèmes sous-jacents qui contribuent au doute de soi.

L'anxiété de performance ou la pression peuvent également être un défi majeur lors de la pratique de la magie sexuelle, en particulier lorsque l'on s'engage dans la pratique avec un partenaire. Cela peut impliquer de ressentir la pression de performer ou de répondre à certaines attentes, ce qui peut entraver la capacité à s'engager pleinement dans l'expérience.

Pour surmonter ce défi, il est important d'aborder la magie sexuelle avec un sentiment d'ouverture et de curiosité, plutôt qu'avec des attentes ou des objectifs rigides. De plus, se concentrer sur le processus de l'expérience, plutôt que sur le résultat, peut aider les individus à rester présents et engagés dans le moment présent.

L'inconfort physique ou la douleur peuvent également constituer un défi important lors de la pratique de la magie sexuelle, en particulier lors de l'adoption de techniques ou de positions plus avancées. Cela peut impliquer un inconfort ou une douleur au niveau des organes génitaux, du dos ou d'autres parties du corps.

Pour surmonter ce défi, il est important de privilégier le confort physique et la sécurité pendant la magie sexuelle. Cela peut impliquer l'utilisation d'accessoires ou de supports pour soulager l'inconfort, ajuster les positions ou les techniques pour réduire la tension sur le corps, ou consulter un professionnel de la santé si nécessaire.

Enfin, l'intensité émotionnelle ou la vulnérabilité peuvent constituer un défi important lors de la pratique de la magie sexuelle, en particulier lors de l'adoption de pratiques impliquant des connexions émotionnelles ou énergétiques profondes. Cela peut impliquer des sentiments de vulnérabilité, de peur ou d'overwhelm difficiles à gérer.

Pour surmonter ce défi, il est important d'aborder la magie sexuelle avec un sentiment de compassion et de soin envers soi-même. Cela peut impliquer la pratique de techniques d'apaisement ou de soins personnels avant et après la pratique, ou travailler avec un thérapeute ou un coach pour aborder les problèmes émotionnels sous-jacents.

En conclusion, la magie sexuelle peut être une pratique puissante et transformative, mais il est important de l'aborder avec connaissance, soin et respect. En reconnaissant et en traitant les défis courants qui peuvent survenir lors de la magie sexuelle, les individus peuvent surmonter ces obstacles et s'engager pleinement dans l'expérience. En priorisant la communication et le consentement, en se concentrant sur le moment présent, en cultivant la compassion envers soi et l'acceptation, en abordant la pratique avec ouverture et curiosité, en privilégiant le confort physique et la sécurité, et en pratiquant l'autosoins et la régulation émotionnelle, les individus peuvent tous contribuer à aider à surmonter les défis qui peuvent survenir lors de la magie sexuelle.

Il est également important de reconnaître que les défis peuvent être différents pour chaque individu et peuvent évoluer avec le temps à mesure que les individus approfondissent leur pratique. En restant ouverts et flexibles, les individus peuvent s'adapter à ces défis et continuer à croître et à évoluer dans leur pratique de la magie sexuelle.

De plus, chercher le soutien d'amis de confiance, de partenaires ou de professionnels peut également être utile pour naviguer dans les défis de la magie sexuelle. Il est essentiel de prioriser son propre bien-être physique, émotionnel et mental tout au long de la pratique et de demander de l'aide en cas de besoin.

En résumé, la magie sexuelle est une pratique puissante et transformative qui peut améliorer l'intimité, la connexion et la croissance spirituelle. Cependant, elle n'est pas exempte de défis. En reconnaissant et en traitant les défis courants qui peuvent survenir, les individus peuvent surmonter les obstacles et s'engager pleinement dans l'expérience. En priorisant la communication et le consentement, en restant présents et concentrés, en cultivant la compassion envers soi et l'acceptation, en abordant la pratique avec ouverture et curiosité, en privilégiant le confort physique et la sécurité, et en pratiquant l'autosoins et la régulation émotionnelle, il est essentiel de naviguer les défis de la magie sexuelle. Grâce à la pratique continue et à l'adaptation, les individus peuvent approfondir leur compréhension et leur expérience de la magie sexuelle et, en fin de compte, améliorer leur bien-être général et leur croissance spirituelle.

Conseils pour rester en sécurité et en bonne santé lors de la pratique de la magie sexuelle

La magie sexuelle peut être un outil puissant pour explorer l'union mystique entre le sexe et la spiritualité. Cependant, tout comme avec toute pratique spirituelle, il est important de l'aborder avec soin et considération pour votre bien-être physique et mental. Dans cette section, nous discuterons de quelques conseils pour rester en sécurité et en bonne santé lors de la pratique de la magie sexuelle.

L'un des aspects les plus importants de la magie sexuelle sécuritaire est d'établir des limites claires et de les communiquer avec votre partenaire(s). Cela peut impliquer de définir des limites physiques, telles que les actes sexuels avec lesquels vous êtes à l'aise, ainsi que des limites émotionnelles, comme discuter de tout déclencheur émotionnel ou sensibilité émotionnelle à l'avance.

Il est important de se rappeler que les limites peuvent évoluer avec le temps, et il est acceptable de réévaluer et de communiquer de nouvelles limites au besoin. De plus, si vous pratiquez la magie sexuelle avec plusieurs partenaires, il est essentiel de vous assurer que tout le monde est sur la même longueur d'onde et respecte les limites de chacun.

Pratiquer le sexe sécuritaire est non seulement important pour prévenir les infections sexuellement transmissibles (IST) et les grossesses non désirées, mais c'est aussi essentiel pour maintenir une pratique de magie sexuelle saine et sécuritaire. Assurez-vous d'utiliser des préservatifs et d'autres formes de protection, comme les digues dentaires et les gants, lors d'activités sexuelles.

Si vous pratiquez le sexe anal, assurez-vous d'utiliser beaucoup de lubrifiant et de commencer avec des objets plus petits avant de passer à des objets plus grands. De plus, il est essentiel de maintenir une excellente hygiène, ce qui inclut de se laver les mains et les organes génitaux avant et après toute activité sexuelle.

L'alcool et d'autres drogues peuvent avoir des impacts négatifs sur votre corps et votre psyché, ce qui peut rendre difficile une pratique de magie sexuelle sûre et saine. Bien que certaines personnes puissent constater que certaines substances améliorent leurs expériences sexuelles, il est essentiel de faire preuve de prudence et de réfléchir aux risques avant de les utiliser.

Si vous décidez d'utiliser des drogues, faites preuve de prudence et réfléchissez aux risques et aux conséquences à l'avance. De plus, il est crucial de vous assurer que tous les participants à la magie sexuelle sont lucides et consentent aux activités.

Une pratique de magie sexuelle sûre et saine nécessite à la fois une bonne santé physique et émotionnelle. Cela peut impliquer de faire régulièrement de l'exercice, de dormir suffisamment, de manger une alimentation saine et équilibrée, et de pratiquer des activités d'autosoins telles que la méditation et la tenue d'un journal.

Il est également important de rechercher une aide professionnelle si vous rencontrez des problèmes de santé mentale, tels que l'anxiété ou la dépression. Cela peut impliquer de consulter un thérapeute ou un conseiller, ou de rejoindre des groupes de soutien pour les personnes pratiquant la magie sexuelle.

La magie sexuelle est une pratique qui a été transmise à travers de nombreuses traditions culturelles et spirituelles différentes. Il est important d'aborder ces traditions avec respect et considération pour leur importance culturelle et historique.

Si vous pratiquez la magie sexuelle au sein d'une tradition spirituelle particulière, assurez-vous de vous familiariser avec ses coutumes et ses pratiques. De plus, il est important de rechercher des sources d'information et de guidance auprès d'individus de cette tradition, plutôt que d'approprier ou de déformer leurs pratiques.

Enfin, pratiquer l'autoréflexion et la conscience de soi est essentiel pour maintenir une pratique de magie sexuelle sûre et saine. Cela peut impliquer de prendre le temps de réfléchir à vos impressions et à vos sentiments avant et après avoir participé à des activités de magie sexuelle.

Il peut également s'agir de vérifier avec vous-même et vos partenaires que vous êtes tous à l'aise et consentants pour les activités, ainsi que d'être conscient de toutes les sensations physiques ou émotionnelles qui surviennent pendant la magie sexuelle.

Toute activité sexuelle nécessite un consentement et une discussion ouverte, et la magie sexuelle ne fait pas exception. Avant de commencer, assurez-vous d'avoir une discussion avec votre ou vos partenaires concernant vos objectifs, vos désirs et vos limites. Tout au long de l'exercice, vérifiez régulièrement avec les autres pour vous assurer que tout le monde est détendu et s'amuse.

Il est également essentiel de comprendre exactement à quoi vous consentez. Par exemple, si vous participez à un rituel de magie sexuelle en groupe, soyez conscient des participants et des activités qui seront réalisées. Ayez toujours la possibilité de vous retirer ou de dire non si quelque chose ne vous semble pas correct.

Si vous pratiquez la magie sexuelle dans un espace partagé ou en présence d'autres personnes à proximité, soyez conscient de leur présence et de leurs limites. Modérez le niveau sonore si nécessaire et évitez de vous engager dans des actes sexuels qui pourraient mettre les autres mal à l'aise.

La magie sexuelle peut être physiquement exigeante, et il est important de prendre soin de votre corps pour éviter les blessures ou les tensions. Assurez-vous de vous étirer avant et après la pratique et prenez des pauses si nécessaire. Hydratez-vous et nourrissez votre corps avec des aliments sains pour maintenir vos niveaux d'énergie.

Si vous ressentez un quelconque inconfort physique ou émotionnel pendant la magie sexuelle ou si vous avez des antécédents de traumatismes qui pourraient être déclenchés, cherchez de l'aide professionnelle. Un thérapeute ou un conseiller formé en santé sexuelle et en traumatismes peut vous fournir des conseils et un soutien pendant que vous explorez la magie sexuelle et la spiritualité.

En conclusion, la magie sexuelle a le potentiel d'être un puissant instrument pour favoriser la croissance spirituelle et la connexion interpersonnelle. Vous pouvez vous assurer que votre pratique est gratifiante et agréable en suivant ces recommandations de sécurité et de santé. Mettez toujours le consentement et la communication en premier lorsque vous utilisez la magie sexuelle, et gardez un esprit et un cœur ouverts.

Conclusion

Résumé de ce que les lecteurs ont appris dans l'ebook

Afin de créer une connexion plus profonde avec soi-même, son partenaire et le divin, la magie sexuelle est une pratique puissante et ancienne qui combine sexualité et foi. L'ebook "Magie Sexuelle pour Débutants : Exploration de l'Union Mystique entre le Sexe et la Spiritualité" offre une introduction complète à la magie sexuelle, comprenant des informations sur ses origines, ses avantages et ses méthodes.

Le livre commence par une description de ce qu'est la magie sexuelle et comment elle fonctionne. Il explique comment la magie sexuelle repose sur le principe selon lequel l'énergie sexuelle est une force puissante qui peut être canalisée à des fins spirituelles. L'ebook explore également le rôle de l'intention dans la magie sexuelle et comment définir des intentions claires peut renforcer la puissance de cette pratique.

Créer un espace sacré pour la magie sexuelle est également essentiel pour une pratique réussie. L'ebook offre des conseils sur la manière de préparer un espace sacré et propose différentes techniques pour pratiquer la magie sexuelle, y compris des pratiques individuelles et en couple. Il explore également différentes traditions spirituelles qui intègrent la magie sexuelle, telles que le Tantra et la Kabbale.

L'ebook se plonge dans l'histoire de la magie sexuelle et les praticiens célèbres à travers les âges, dont Aleister Crowley et Maria de Naglowska. Il explique les différences entre les approches anciennes et modernes de la magie sexuelle et comment elle a évolué au fil du temps.

Les avantages de la magie sexuelle sont nombreux et incluent l'amélioration de la spiritualité, l'amélioration de la santé mentale et physique, et l'approfondissement de l'intimité et de la connexion avec soi-même et son partenaire. L'ebook explore les recherches scientifiques sur la magie sexuelle et ses effets sur le cerveau et le corps.

Pour ceux qui sont intéressés par la pratique de la magie sexuelle en solitaire, l'ebook propose des techniques pour le plaisir individuel et la fixation d'intentions. Il discute également des avantages de la magie sexuelle en solitaire, notamment une prise de conscience de soi accrue et l'amour de soi.

Pour ceux qui sont intéressés à pratiquer la magie sexuelle avec un partenaire, l'ebook offre des conseils sur la communication et le consentement, ainsi que des techniques pour améliorer l'intimité et la connexion. Il explique également les avantages et les défis de la magie sexuelle en groupe et propose des techniques pour pratiquer en groupe.

Enfin, l'ebook aborde les erreurs courantes que les débutants commettent en magie sexuelle et propose des astuces pour surmonter les défis qui peuvent survenir pendant la pratique. Il fournit également des conseils pour rester en sécurité et en bonne santé tout en pratiquant la magie sexuelle.

En résumé, "Magie Sexuelle pour Débutants : Exploration de l'Union Mystique entre le Sexe et la Spiritualité" offre un guide complet sur la magie sexuelle, incluant son histoire, ses avantages et ses techniques. Il propose des conseils pratiques tant pour les débutants que pour les praticiens expérimentés, en mettant l'accent sur l'amélioration de la spiritualité, de l'intimité et de la connexion. Grâce à ces connaissances, les lecteurs peuvent exploiter le pouvoir de l'énergie sexuelle pour la croissance spirituelle et la transformation.

Encouragement à continuer à explorer la magie sexuelle et la spiritualité

Alors que vous concluez votre voyage dans le monde de la magie sexuelle et de la spiritualité, il est essentiel de prendre un moment pour réfléchir aux connaissances acquises et aux expériences vécues. Ce voyage n'est pas un voyage qui se termine, mais plutôt un chemin de découverte et de croissance tout au long de la vie. Il est primordial de vous encourager à continuer à explorer le domaine de la magie sexuelle et de la spiritualité afin de libérer tout le potentiel de cette pratique.

La magie sexuelle est une pratique qui a été utilisée pendant des siècles pour atteindre une connexion plus profonde avec soi-même, son partenaire et le divin. C'est une pratique qui requiert patience, engagement et dévouement. Il est facile de se décourager ou de se sentir submergé, surtout lorsque l'on fait face à des défis ou des revers. Mais il est essentiel de garder à l'esprit que ces difficultés font partie normale du processus.

La possibilité de développer votre foi est l'un des avantages les plus importants de la magie sexuelle. En utilisant l'énergie sexuelle pour entrer en connexion avec votre moi intérieur et le divin, vous pouvez atteindre un niveau supérieur de conscience et de prise de conscience. Cette conscience accrue pourrait vous permettre de mener une existence plus épanouissante et significative.

L'amélioration de l'intimité et de la connexion avec votre partenaire est un autre avantage de la magie sexuelle. En pratiquant la magie sexuelle, vous pouvez développer une meilleure compréhension des besoins et des désirs de l'autre. Cette connexion améliorée peut conduire à des interactions plus profondes et satisfaisantes.

Il est essentiel de continuer à apprendre et à évoluer si vous souhaitez explorer la magie sexuelle et la foi à l'avenir. Lire des livres et des articles, assister à des ateliers et des séminaires, et entrer en contact avec des personnes partageant les mêmes intérêts peuvent contribuer à élargir vos connaissances et votre compréhension de cette pratique.

Il est également important de maintenir une pratique régulière de la magie sexuelle. Que vous pratiquiez seul ou avec un partenaire, consacrer du temps à cette pratique peut vous aider à rester engagé et dévoué à votre cheminement spirituel.

Cependant, il est essentiel d'aborder cette pratique avec responsabilité et sécurité. Il est important de communiquer avec votre partenaire et de pratiquer des rapports sexuels sécuritaires. Il est également primordial de prioriser votre santé physique et mentale, en cherchant une aide médicale si nécessaire.

En conclusion, la pratique de la magie sexuelle et de la spiritualité est un voyage de découverte et de croissance tout au long de la vie. C'est une pratique qui requiert patience, engagement et dévouement. Bien que les défis et les revers puissent être décourageants, il est important de se rappeler les bienfaits de cette pratique et de continuer à apprendre et à grandir. En priorisant la sécurité et la responsabilité, vous pouvez continuer à approfondir votre spiritualité et à améliorer votre intimité et votre connexion avec vous-même et votre partenaire. Alors, prenez cet encouragement et continuez à explorer l'union mystique de la sexualité et de la spiritualité.

Merci d'avoir acheté et lu/écouté notre livre.
Si vous avez trouvé ce livre utile, nous vous invitons
à prendre quelques minutes pour laisser un avis sur
la plateforme où vous avez acheté notre livre.
Vos commentaires nous sont extrêmement précieux.